RICHARD KATZ

Spaß mit Hunden

RICHARD KATZ

Spaß mit Hunden

KUNTERBUNTE HUNDEKUNDE

Mit 37 Federzeichnungen
von Helmar Becker-Berke

ALBERT MÜLLER VERLAG, AG, RÜSCHLIKON BEI ZÜRICH

Erstes bis achtes Tausend
Verlagsnummer 536/57

Printed in Switzerland
Buchdruckerei Keller & Co. AG, Luzern

INHALT

Um dem Wunsch des Albert Müller Verlags zu entsprechen, alle meine Erlebnisse mit Hunden in einem Band zu vereinigen, hatte ich zwischen neuen Aufzeichnungen auch solche zu verarbeiten, die in einigen meiner früheren Bücher erschienen sind. Entgegenkommend hat der Eugen Rentsch Verlag genehmigt, daß ich hiezu auch Material aus meinen Büchern «Einsames Leben», «Ernte», «Nur Tiere» und «Mein Inselbuch» verwende, während mir der Fretz & Wasmuth Verlag einen Abschnitt meines Buchs «Allerhand aus fernem Land» zur Verfügung stellte. Beiden gilt mein aufrichtiger Dank.

Der Verfasser

ZUM GELEIT

Hunde mit und ohne Rasse,
Die ich hier zusammenfasse,
Sind mir – wenn auch nicht vereint –
Schon durch manches Buch gestreunt.
Schwarz und weiß und braun und bunt,
Wie auch immer : Hund bleibt Hund !

Mancher ist dazugekommen,
Den ich später angenommen,
Hunde ernst und Hunde munter –
Ein Verbrecher auch darunter –
Alter Hund und neuer Hund
Tummeln sich hier kunterbunt.

Daß die guten Kameraden,
Die ich hier zur Schau geladen,
Viele andre auch erfreuen,
So die alten wie die neuen,
So im Bilde wie im Satz :
Wünscht von Herzen

Richard Katz

Locarno-Monti, im Frühling 1957

PUDELNÄRRISCHES

Locarno-Monti 1957

Eine dankbare Leserin hat mir eine junge Pudelhündin geschenkt.

Kurze Zeit, nachdem mich diese Leserin in Locarno besucht hatte, schrieb sie mir aus Hamburg, daß ihre Pudelhündin vier großartige Junge geworfen habe, von denen sie mir eines zur Verfügung stelle. Die Gute hatte bemerkt, daß ich zur Zeit hundelos war.

Vorsichtig, wie ich bin, erkundigte ich mich zunächst nach dem Preis; denn Pudel sind in Mode und deshalb sehr teuer.

Fast entrüstet antwortete sie postwendend, daß von Preis keine Rede sei. Es würde sie vielmehr mit Stolz erfüllen, einen Pudel ihrer Zucht in meinen Händen zu wissen. – Fürwahr, solcher Leserinnen sollte es mehr geben!

Aus ihrer großzügigen Offerte wählte ich ein schwarzes Weibchen, bat aber, daß es erst nach drei Monaten zu mir expediert werde. Dann sollte es, hoffte ich, einigermaßen stubenrein sein (denn wenn man etwas umsonst bekommt, wird man leicht unverschämt). Deshalb auch hatte ich mir gerade *das* Hündchen ausgesucht, das aus der verzückten Beschreibung des Wurfes wie ein schwarzer Diamant hervorfunkelte.

Die Dankbarkeit dieser Leserin kannte in der Tat keine Grenzen. Nachdem wir einige Zeit hin und her korrespondiert hatten, ohne daß sie mich hätte überzeugen können, daß das einzige beigefarbene Puppy des Wurfes besser zu den gelben Wänden meines Hauses passe, kam das Juwel von kleiner schwarzer Pudelhündin in einer geradezu monumentalen Transportkiste an. Und das per Flugzeug!

Gute Freunde, welche die Kleine vom Flugplatz Zürich, dem Ende des Hamburger Kurses, abgeholt hatten, hielten ihren Weitertransport nach Locarno ein wenig auf, weil sie sich sogleich in sie verliebten.

Doch ergaben sich bald Unstimmigkeiten mit dem Scotchterrier des Hauses, dessen Napf sie, kaum angekommen, leer fraß, während er, konservativ wie alle Schotten, den ihren ablehnte. Da ein anständiger Rüde keine Hündin beißt, gab er mit tief gekränktem Ausdruck zu verstehen, daß er lieber verhungern wolle, als das gefräßige Pudelmädchen weiterhin um sich zu dulden.

Schon auf dem Transport also hatte die junge Pudelhündin eigenartigen Geschmack geäußert, indem sie einen vollmännlichen Fleischgang dem Brei vorzog, der ihrem zarten Alter angemessen war.

Ihre Vorliebe für abseitige Nahrung hat sich nun so überraschend entwickelt, daß ich die rechte Pudel-Diät den Vielen mitteilen will, die sich durch andere Ratschläge irreführen lassen. Für die Ersprießlichkeit meiner Erfahrung zeugt das Gewicht meiner Pudelhündin: dreimonatig kam sie mit sieben Kilo Lebendgewicht zu mir, während sie jetzt, mit viereinhalb Monaten, fünfzehn Kilo wiegt (und das mit nur drei Beinen, denn es will mir nie gelingen, sie mit allen Vieren auf die Waage zu bringen).

Doch nun zur Sache! Der Beginn einer rationellen Pudelkost sind Tannenzapfen.

Kaum hatte ich meine junge Pudelhündin in die Diele bugsiert, als sie sich auch schon auf die Tannenzapfen vor dem Kamin stürzte, sie mit spitzen Milchzähnen zerzupfte und hastig verschlang.

Nun hatte mir ihre Züchterin vorsorglich ein genaues Menü zusammengestellt, und ein Napf mit der empfohlenen Mischung aus Milch und Haferflocken mit einer Prise Kalzium stand denn auch für die Kleine bereit. Leider fehlten Tannenzapfen im Rezept. Sie aber hielt sich ausschließlich an diese, während sie sich mit dem Brei, den ich ihr immer wieder unter die Nase hielt, nur Bart und Ohren bekleisterte.

Nachdem ihr Bedarf an Tannenzapfen gedeckt war, besichtigte sie, ohne zu fremdeln, ihre neue Umgebung und erschnüffelte schließlich auf dem Speisezimmer-Teppich den passenden Platz, um zu erweisen, daß sie noch nicht stubenrein war.

Von der untrüglichen Witterung geleitet, die Pudeln nachgerühmt wird, trabte sie dann in die Küche, wo sie Tannenzapfen erbrach und sogleich wieder auffraß. Vermutlich gehören Pudel zu den Wiederkäuern.

Das also war ihr Abendessen, und nachdem sie es zweimal eingenommen hatte, sprang sie willig in den Schlafkorb, den ich ihr in meinem Schlafzimmer für die erste Nacht zurechtgemacht hatte. Für die erste? Ach, sie schläft immer noch darin und weckt mich jeden Morgen um fünf Uhr, indem sie sich am Bett aufrichtet und mir mit ihren kralligen, haarigen Vorderpfoten so lange im Gesicht herumfährt, bis ich sie ins Freie führe. Denn zimmerrein ist «*Asta*» inzwischen doch geworden (wenn auch, seien wir ehrlich, nur schlafzimmerrein).

Es wird Zeit, das Kind beim rechten Namen zu nennen. Meine junge Pudel-hündin also heißt «Asta». Nicht Asta Nielsens wegen, sondern deshalb, weil der Wurf, dessen Juwel sie ist, nach dem unerforschlichen Ratschluß ihres Pudelklubs «A»-Namen zu führen hat, und mir kein besserer einfiel. Also heißt sie «Asta» oder genauer «Großpudel-Hündin Asta von Bebelingen», wie es im Dokument «Anerkennung als Ahnentafel für das Ausland» vermerkt ist. Von dem kann freilich erst später die Rede sein; denn als Asta zu mir kam, hatte es «Der geschäftsführende Präsident des Verbandes für das Deutsche Hunde-wesen, e. V., Sitz Dortmund» noch nicht ausgefertigt, und der Instanzenweg der Pudel ist ebenso langwierig wie der unsere.

Doch ihre Diät ist elastisch. Obgleich ich Indianer kenne, die Lehm essen, Malaien, die sich an Ameisen delektieren, und einen guten Freund besitze, der täglich ein angebrütetes Ei verzehrt, um sich zu verjüngen: kenne ich doch kein Geschöpf so eigenartigen Geschmacks wie eine junge Pudelhündin.

Nachdem «Asta von Bebelingen» besser geschlafen hatte als ich (denn, so jung sie ist: sie schnarcht wie eine Erwachsene), führte ich sie in den Garten, dessen sechs Grad unter Null ihr im Pudelfell bekömmlicher waren als mir im Schlafrock.

Einem dringlichen Wunsch der Züchterin gemäß, wollte ich ihr hernach einen Löffel Lebertran einflößen. Eingedenk ihres Tannenzapfen-Dinners mischte ich Rizinusöl hinein und machte mich – in Erinnerung an die eigene Jugend-zeit – auf einen scharfen Kampf gefaßt. Sie aber schmatzte den üblen Cocktail mit Lust ein und leckte dann noch den Löffel sauber. Dadurch ermutigt, setzte ich ihr den Napf vor, den meine Wirtschafterin vorschriftsgemäß mit Reis und Karotten in Bouillon gefüllt hatte. Doch geringschätzig rümpfte Asta die Nase, die noch schwärzer ist als ihr Fell, und trug zum Zeichen der Mißachtung in der Küche die Pfütze nach, derentwegen ich sie eigentlich in den Garten geführt hatte. Was wiederum meiner Wirtschafterin nicht recht war. «Schweinerei!» brummte sie und «Wozu koche ich, wenn sie es doch nicht frißt?!»

«Sie bekommt es eben zu Mittag», vermittelte ich, denn damals wußte ich noch nicht, wie hartnäckig eine Pudelin auf ihrem Willen besteht.

Bis zum Mittagessen hatte sie sich denn auch nach eigenem Geschmack gesättigt: als Hauptgericht an meinen Pantoffeln und als Dessert am Lederrücken von Spinozas Ethik. Ihren Napf aber stieß sie mit einem verächtlichen Schlenker des Hinterbeins um, damit er ihr nicht zum dritten Mal serviert werde.

Als ich sie ausführen wollte, merkte ich, daß sie auch die feine Hundeleine aus rotem Saffian durchgeknabbert hatte, die zu ihrer Aussteuer gehörte.

Als ich das ihrer Züchterin schrieb, sandte mir diese vorbildlich dankbare Leserin expreß eine neue Saffianleine, und Asta fraß auch diese an. Die dritte kaufte ich selbst und wählte, da ich sparsam bin, schlichtes Rindsleder. Asta ließ sie in Frieden, denn ihr Geschmack ist fein, und wer Kaviar gewöhnt ist, rührt Hering nicht an.

Das erweist Asta auch an ihren Drinks. Junge Hunde brauchen zuweilen Rizinusöl; doch nehmen sie es nicht gern; man muß es ihnen einzwängen. Asta hingegen zieht es jedem andern Getränk vor. Ein Löffel Rizinus bedeutet ihr etwas Ähnliches wie mir ein Glas Wein. Nun gibt es Wein und Wein, und nur ein Anfänger wird sich mit Chianti bedienen, wenn auch Burgunder auf dem Tisch steht. Also fordert Asta das feinraffinierte Rizinusöl der Apotheken, das, auf die Weinflasche berechnet, etwa ebensoviel kostet wie alter Pommard. Gelbliches lehnt sie ab; süchtig ist sie nur nach wasserklarem, und als ich einmal ein solches Fläschchen im Bereich ihrer Vorderpfoten ließ, warf sie es um und schleckte den ganzen Inhalt auf. Mit peinlichen Folgen . . .

Wer je versucht hat, Rizinusflecken aus Parkett zu entfernen, wird wissen, daß dies ein aussichtsloses Bemühen ist. Ich habe den Boden abziehen lassen, und doch ist ein Fettfleck geblieben, der solange vorhalten wird, bis das Parkett verbrannt wird. Nur Feuer wird mit einem Rizinusfleck fertig.

Dies war meine erste größere Ausgabe für den exzentrischen Geschmack einer jungen Pudelhündin, doch keineswegs die letzte. Daß Asta ein Gratishund sei, stimmte nur zu Beginn; je länger je mehr wird sie zum fressenden Kapital.

Gewiß, sie ist eine gute Pudelhündin, voll Leben und Liebe und Charme: umsonst aber ist sie keineswegs.

Ich habe mein Leben lang Hunde gehalten und manchen Schaden durch sie erlitten. Doch selbst ein erwachsener Deutscher Boxer – diese Seele eines Engels im Leib eines Gangsters! – stiftet weniger Unheil an.

Erst seit ich Asta besitze, verstehe ich den tieferen Sinn von «pudelnaß» und «pudelnärrisch». Einen Pudel, der sich im Schnee gewälzt hat, trocken zu reiben, wäre selbst dann schwierig, wenn er still hielte, und dazu entschließt er sich wohl erst im abgeklärten Greisenalter. Ihn auch nur zu kämmen, ist eine Geduldprobe. Noch während des Striegelns auf dem Steintisch des Gartens wendet sich Astas Blick sehnsüchtig schief dem Komposthaufen zu, in dem sie sich gleich darauf frisch einsauen wird.

Wie witzig, hernach am Menschen hochzuspringen, um ihm den Knochen auf den Schoß zu legen, den man aus dem Kompost gegraben und saftig eingespeichelt hat!

Ihrer Gags ist kein Ende. Man zerrupfe etwa das Lammfell, auf dem man im Schlafkorb liegt, nehme ein passendes Stück als weissen Vollbart in die Schnauze und wecke seinen Menschen als Weihnachtsmann.

«Das Lammfell ist hin!» zürnt der Mensch, nachdem er sich vom ersten Schreck erholt hat. Je nun, er hat eben keinen Sinn für Humor.

Ja, wäre es nur ein Lammfell! Doch da ist der Kurdistan im Studio, auf den der Mensch stolz ist: ein zweihundertjähriger Nomaden-Teppich mit dem alten Blumenmuster. Der Mensch liegt auf dem Sofa und liest Zeitung, statt mit einem um die Lilienzwiebel zu raufen, die man mühsam aus dem Staudenbeet gescharrt hat. Der Mensch ist unfreundlich. Schläfrig murrt er «Platz!», aber dort ist es langweilig. Fressen wir lieber was! Erst die Lilienzwiebel, aber die schmeckt fad. Also etwas Würzigeres!

Der Mensch hört ein mahlendes, nagendes Geräusch und blickt zu Boden. Warum springt er auf, als hätte ihn eine Biene gestochen? Warum brüllt er so? Deshalb etwa, weil die fleißige kleine Pudelhündin ein handbreites Loch in die Teppichkante genagt hat? Etwas muß sie doch tun, und so hat sie das Angenehme des Fressens mit dem Nützlichen verbunden, einen Milchzahn abzustoßen. Jedenfalls schmeckt ein alter Perserteppich feiner als der ordinäre Kokosläufer im Treppenhaus, auf den sie sonst angewiesen ist.

Wie übelnehmerisch der Mensch ist! Noch Tage nachher schilt er, weil der Voranschlag der Zürcher Kunststopferei auf «160 bis 180 Franken» lautet. Was will er nur? Feines Essen kostet eben Geld....

Nicht einmal damals habe ich Asta geschlagen. Ich kann es nur schwer über mich bringen, eine Hündin zu schlagen. Einen Rüden, mag sein; es gibt welche, die nicht anders zur Raison zu bringen sind. Aber eine Hündin? Es wäre, als schlüge man ein kleines Mädchen.

Oh, hätte ich doch! Der Nomadenteppich war noch nicht zurück, als Asta auch schon probierte, wie ein Täbris schmeckt. Meine Haushälterin, die von meinen Hemmungen frei ist, erwischte sie dabei und gab ihr einen resoluten Klaps aufs Hinterteil. Asta schmollte den ganzen Tag, rührt aber seither keinen Teppich mehr an. Denn klug sind Pudel; das muß man zugeben.

Seit ihr die leuchtend porzellanweiße Garnitur endgültiger Zähne gewachsen ist, hält sie sich an herzhaftere Kost: Stuhlbeine, Koffer, Schallplatten. Als Beilage frißt sie Kopierpapier. Wenn ich an der Schreibmaschine sitze, kann ich es kaum vor ihr retten. Seit ihr Intellekt zunimmt, interessiert sie sich auch für meine Arbeit, so daß ich ohne Übertreibung sagen kann, daß meine Bücher gefressen werden. Auch Stifter, Gogol und Conrad Ferdinand Meyer ist sie auf den Geschmack gekommen. Bücher wählt sie feinschmeckerisch, wenn auch sprunghaft.

Apropos sprunghaft: jetzt hat sie herausbekommen, wie man Türen öffnet! Da sie aber noch nicht weiß, wie man sie wieder schließt, lebe ich hinter versperrten Türen, um nicht andauernd hinter ihr herlaufen zu müssen.

Nur *ein* Mal habe ich sie eingesperrt: leider in die Küche. Ich dachte nicht daran, daß auch der Kühlschrank eine Türe hat. Was sie ihm entnahm, sei jenen mitgeteilt, die eine junge Pudelhündin rationell ernähren wollen: einen Bückling mit Pergamentpapier, ein halbes Pfund kalten Aufschnitts, eine tüchtige Scheibe Gorgonzola mit hundert Gramm Butter und eine unbestimmbare Menge Himbeer-Marmelade mit Glasscherben.

Als Astas Spesenkonto die fünfhundert Franken-Grenze und damit den Preis erreicht hatte, den ich für sie hätte anlegen müssen, wenn sie mir nicht geschenkt worden wäre, entsann ich mich, daß auch noch die Hundesteuer für sie fällig war. Im Tessin nämlich deckt sich das Hundejahr nicht mit dem Menschenjahr: sein Neujahrstag ist der 1. März. Also fragte ich mich zum zuständigen Beamten der Gendarmerie durch und sagte dem: «Ich möchte Hundesteuer zahlen.» Das entsprach zwar nicht ganz der Wahrheit, denn eigentlich mochte ich es nicht sondern mußte es. Doch im Tessin ist man höflich, und so erwiderte denn der Beamte: «Tanto piacere», was auch nicht zutraf, denn ein Zuwachs an Arbeit freut keinen Beamten.

«Welche Rasse hat Ihr Hund?», fragte er.

Ich war schon drauf und dran «Pudel» zu antworten, als mich sein listiger Blick zur Vorsicht mahnte. Im Verkehr mit Steuerbeamten ist Zurückhaltung ratsam. Also schwieg ich und tat, als dächte ich nach.

«Nun», forschte er, «eine Rasse wird er wohl haben!»

«Haben Sie für jede Rasse eine besondere Hundemarke?» wich ich aus.

«Das fehlte noch!» verwahrte er sich. «Es genügt, wenn Ihr Hund irgend eine Rasse hat.»

«Es gibt so viele Rassen», seufzte ich, denn ich begann zu ahnen, worauf er hinauswollte.

«Eine Menge», gab er zu. «Also hat Ihr Hund auch eine, nicht wahr?»

«Lassen Sie mich überlegen», bat ich. «Er sieht wie ein Pudel aus.»

«Also ist er ein Pudel!», atmete der Beamte auf und zückte den Bleistift.

«Das möchte ich nicht behaupten», verwahrte ich mich. «Sie sieht nur so aus. Mein Hund ist nämlich ein Weibchen, und wie man mit denen dran ist, weiß man nie so recht...»

«Nun, wenn sie so aussieht, wird sie es wohl auch sein», schlug er großzügig vor.

«Vielleicht, vielleicht auch nicht», retirierte ich. So hingen wir geraume Zeit im Clinch, bis endlich ich mich als zäher erwies, und er auf meine hartnäckig wiederholte Frage, *warum* ihn denn die Rasse meiner Hündin interessiere, klein beigab: «Weil ein Rassehund dreißig Franken Steuer kostet, und ein Bastard nur zwanzig.»

Das also war des Pudels Kern! Hier bot sich mir endlich Gelegenheit, Astas Konto um ein Weniges zu entlasten!

«Dann zahle ich lieber zwanzig!» umging ich sophistisch die Wahrheit.

Erschöpft, wie der Beamte war, nahm er dies an Wahrheitsstatt an und füllte eine Quittung über zwanzig Franken aus.

Doch er hatte noch einen Pfeil im Köcher. Mit dem traf er mich zwischen Tür und Angel. «Sie haben auch eine Hausangestellte?» klang mir seine Frage nach.

Arglos bejahte ich, denn wie hätte ich argwöhnen können, daß seine Kompetenz sich auch auf diese erstreckte.

«Und haben Sie die Jahresabgabe für sie bezahlt?» forschte er. «Nach einer neuen Verordnung hat der Patron für jede Angestellte elf Franken jährlich zu zahlen.»

Binde wer mit einem Steuerbeamten an! Überwunden zahlte ich für meine Haushälterin noch einen Franken mehr, als ich an meiner Pudelhündin gespart hatte, und stieg bekümmert zu meinem Berghäuschen hoch. Auch schlechten Gewissens, denn ich bin sonst ehrlich.

Mein einziger – wenn auch fadenscheiniger – Trost war, daß ich Astas Dokumente noch nicht besaß, so daß ich, streng rechtlich besehen, von ihrer Rasse nichts zu wissen brauchte.

Doch mit des Geschickes Mächten... Der erste Brief, den ich zu Hause öffnete, enthielt Astas rechtsgültig unterschriebenen und vielmals gestempelten Stammbaum mit rassereinen Eltern, Großeltern, Urgroßeltern, ja, mit allen sechzehn Ur-Urgroßeltern! Es war ein Stammbaum, mit dem sich selbst ein Johanniter-Ritter hätte brüsten können.

Und ich hatte eine Ur-Urenkelin von «Orietto of Charles Clefs» (Kennel LOG 1518) und «Milli Pax von Frauenlob» (SCH H I u. II 12.938), eine Urenkelin von «A. Tutenchamon Afrikanus» (14.663) und «Ilka von der Irmsee» – um nur einige wenige zu nennen – zur Bastardin erniedrigt!

Wahrlich, ich schämte mich vor ihr, als sie pudelwohl mit kotigen Pfoten an mir hochsprang, und hatte nicht einmal dann das Herz, sie auszuschelten, als mir die Wirtschafterin zornrot berichtete, daß «die Bestie» meine Frühstückstasse zerbrochen habe, um ans Honigglas zu gelangen (das denn auch kaputt war).

Seufzend ergänze ich also um der Wissenschaft willen: zur bekömmlichen Ernährung einer jungen Pudelhündin gehört auch Honig. Reiner Bienenhonig, versteht sich; Kunsthonig würde sie ablehnen.

MEINE ERSTEN BEIDEN HUNDE

Eigentlich hätte ich dieses Buch mit meinen ersten beiden Hunden beginnen sollen: dem des Knaben und dem des Jünglings.

Doch wer selbst eine junge Pudelhündin besitzt – oder, um bei der Wahrheit zu bleiben, von ihr besessen wird – weiß, wie vordringlich sie sich in Erinnerung bringt. Spielt man nicht mit ihr, weil man schreiben will, muß man wenigstens an sie denken. Dafür sorgt ihr aufmerksames Mitempfinden. Wenn sie mir jetzt schon das Manuskript mit lehmigen Pfoten verschmiert: wie erzürnt erst würde sie es zerfetzen, stünde sie nicht an erster Stelle darin!

Aus diesem zwingenden Grund also ist die chronologische Ordnung zugunsten Astas hintangesetzt und von meinen beiden ersten Hunden die Rede nach ihr (die mein letzter ist).

Ich bin in Prag geboren worden und aufgewachsen. Wie es dort Vorschrift war, hatte ich fünf Jahre allgemeine «Volksschule» durchzumachen, bevor ich aufs Gymnasium durfte. In jener Volksschule habe ich nebst den Grundfächern auch minder Erwünschtes gelernt. In der fünften Klasse zumal; denn in der traf ich Mitschüler an, die um vieles älter waren als ich. Um nämlich der Schulpflicht bis zum vierzehnten Jahr zu genügen, ohne die dreiklassige «Bürgerschule» besuchen zu müssen, waren sie immer wieder «sitzen geblieben». Das war einer der vielen Auswege, mit denen man im alten Österreich unbequeme Gesetze zu umgehen verstand. Die großen Burschen vertrieben sich die Schulzeit auf ihre Art und quälten uns Kleine. Meist waren es Flößersöhne vom nahen Wischehrad, die nur auf ihren vierzehnten Geburtstag warteten, um in freierem Leben Baumstämme aus dem Böhmerwald moldau- und elbeabwärts nach Hamburg zu staken. Da sie zu Beginn und zu Ende ihrer Fahrten deutsch sprechen mußten, hatten ihre tschechischen Eltern sie in die deutsche Volksschule geschickt.

Ihr stärkster, ein halber Mann schon und ein ganzer Rüpel, verstand es, mir mein Taschengeld abzupressen. Dafür verdanke ich ihm meinen ersten Hund, einen jungen Dalmatiner. Der Himmel weiß, wo er ihn gestohlen hatte, doch in einer Anwandlung von Großmut schenkte er ihn mir.

Als ich ihn heimbrachte, gab es Aufruhr im Elternhaus. Wir wohnten auf einer dritten Etage, und das Äußerste an Tieren, das man mir ohne Widerspruch erlaubt hatte, waren Goldfische. Schon um ein Paar Wellensittiche hatte ich kämpfen müssen. Und nun gar ein Hund!

«Er oder ich!» rief dramatisch meine Mutter, und selbst mein friedfertiger Vater murrte: «Nächstens wirst du einen Elefanten mitbringen!»

Wochenlang hat der gefleckte kleine Hund unsern Hausfrieden gestört, denn ich verteidigte ihn mit dem ganzen Ingrimm eines Zehnjährigen. Schließlich schlichtete er selbst den Streit, indem er mir auf der Straße entlief – zu seinem rechtmäßigen Herrn hoffe ich, denn damals waren Prags Straßen noch nicht mit Autos verseucht.

So kurz und einseitig meine erste Freundschaft mit einem Hund war, so wich-

tig wurde sie mir: sie weckte eine Neigung, die mich nie wieder verlassen hat. Wenn ich später auf weiter Fahrt sehr einsam war, sehnte ich mich nicht nach einem Menschen, sondern nach einem Hund.

«Zwei Früchte wachsen auf dem Baume des Lebens: die Freundschaft und die Kunst», sagt ein altes indisches Sprichwort.

Wir setzen beiden die Liebe voran; doch wenn ich daran denke, wie oft in meinem Leben ich geliebt habe, und wie wenig mir davon geblieben ist, während alte Freunde mir noch heute so treu sind wie meine Hündin und mein Handwerk, pflichte ich der indischen Weisheit bei.

Meine Beziehung zu Tieren ist Freundschaft, nicht Liebe.

Kürzlich habe ich eine Wirtschafterin entlassen müssen, die immer wieder beteuert hatte: «Ich liebe Tiere!» Sie schwärmte für «Vögelchen» (wenn sie im Garten sangen) und für «Hündchen» (die «Pfötchen» gaben); doch sie murrte: «Wieviel Mist machen Ihre Papageien!» und trat meine Pudelhündin in den Bauch, als sie mit schmutzigen Pfoten an ihr hochsprang. So tüchtig die Frau war: ich entließ sie auf der Stelle.

Wer Tiere zu lieben vermeint, indem er sie mit Kosenamen verniedlicht, kennt sie nur aus zweitklassiger Literatur. Benehmen sie sich bei ihm anders als dort, mißhandelt er sie, um sie zu beherrschen.

Freunde aber verzärtelt man weder, noch beherrscht man sie. Mit Freunden verständigt man sich.

Verständnis ist die Hauptsache. Alle wahren Tierfreunde von Brehm bis Heini Hediger und von Jack London bis Svend Fleuron *verstanden* ihre Tiere.

Das ist nicht leicht, denn es erfordert Geduld. Viel Geduld, wohlwollende Geduld, eine Geduld, zu der man sich des öftern zu zwingen hat. Denn man müßte schon ein hl. Franziskus sein, um sie nicht bisweilen zu verlieren.

Ärger mit Tieren bedeutet meist mangelndes Verständnis.

Der Dompteur, der Hagenbecks «gemischte Raubtiergruppe» vorführte – die weit gefährlicher ist als eine von Tieren gleicher Art – wies mir einmal seine Narben auf Armen und Brust und gab zu jeder eine Erklärung ab: «Weil die Löwin ‚Bella' nicht verstanden hat, daß ich ihr nur den Schemel zurechtrücken wollte», oder: «Den Biß habe ich von ‚Teddy', dem bravsten Braunbär, mit dem ich je gearbeitet habe. Hätte ich ihm angesehen, daß er schlechter Laune war, wäre ich ihm nicht nahe gekommen. Aber Bären machen immer das gleiche Gesicht, ob sie sich freuen oder wütend sind; sie können nicht anders.» Oder: «Das war eine Tigertatze; Sie sehen, wie weit die Risse auseinanderstehen. Ich hatte ‚Sascha' arbeiten lassen, als er brünstig war.» – Nie gab er den Tieren schuld, immer seinem mangelnden Verständnis.

Wie im Großen, so im Kleinen: auch die Freundschaft mit einem Hund, einer Katze oder auch nur einem Kanarienvogel setzt Verständnis für ihre Eigenart voraus.

Als ich mich in Brasilien mit Papageien anzufreunden begann, wußte ich wohl, daß sie klug und gelehrig, nicht aber, daß sie auch nervös und launisch sind – frei geborene Tiere eben, die sich vorzusehen haben. Manchen Schnabelbiß hat es mir eingetragen, daß ich mit rascher Hand nach ihnen griff oder vertraulich tat, wenn sie übel aufgelegt waren. Die größten Papageien, die farbenprächtigen Araras, sind auch die anhänglichsten. Meine blau-gelbe «Selma» hat sich verhungern lassen, als ich verreiste, ohne sie mitzunehmen. Doch gerade ihr Biß hätte mir fast den Zeigefinger gekostet. Eines Morgens wollte ich sie kraulen, als sie noch schlief. Aufgeschreckt, biß sie wild um sich – und der starke Krummschnabel einer Arara beißt Paranüsse auf! Die Gute wußte so wenig, was sie tat, wie mein Boxer «Nick», als er mich eines Nachts im Garten niederriß. Beim Heimkommen hatte ich ihn nicht angerufen, und der Wind stand gegen mich. Nicht Selma war schuld und nicht Nick: das Verständnis fehlte, und ohne das fehlt der Verstand.

Ich habe schon vielerlei Tiere gehalten: Zierfische und Singvögel, Hunde verschiedener Rassen, gelegentlich auch eine Katze, Papageien vom spatzenkleinen Wellensittich bis zur Hyazinth-Arara, die mehr als einen Meter mißt, und manch andere Tiere noch, mit denen man sich im allgemeinen nicht befreundet (wie die große Kröte «Bufo marinus», von der Brasilien wimmelt): und alle haben mir mehr Freude als Ärger gebracht. Mit *einer* Ausnahme nur: einem Rhesus-Affen, der so unberechenbar war wie ein Irrsinniger.

Nicht jedes Tier eignet sich für jeden Menschen, und wer, gleich mir, Hunde bevorzugt, schätzt den Charme der Katze nicht nach Gebühr.

Hunde und Araras sind unsere treuesten Freunde. Pferde nicht. Es wäre zu viel verlangt, von so schönen und starken Tieren auch noch Freundschaft zu erwarten.

Die Zuneigung des Pferdes gilt dem, der es füttert. Wer sich etwas darauf zugute tut, daß ihn sein Pferd mit freudigem Wiehern begrüßt, braucht sich ihm nur mehrmals ohne Zucker oder Karotten zu nähern, um zu erkennen, wie bald die Freundschaft erkaltet.

Ich bewundere Pferde und gehe um sie in Schwung zu sehen, gern zu Pferderennen; ich kenne sie auch einigermaßen (waren sie doch in Patagonien mein einziges Transportmittel): doch mit keinem Pferd konnte ich eine Freundschaft schließen wie auch nur mit einem Kanarienvogel. Geschweige denn mit einem Hund!

Früher ging ich zu Pferderennen, um zu wetten. Ein alter Sportredakteur hatte mich zwar gewarnt: «So lange Sie Pferde nicht mischen können, sollten Sie nicht auf sie setzen!» Doch Jugend ist optimistisch, und so wettete ich darauf los. Erst als ich derbes Lehrgeld gezahlt hatte, verschwor ich den Toto fürs Leben. Das war auf meiner ersten Weltreise.

Damals war Ceylon noch britische Kronkolonie, und wo Engländer regieren, lassen sie Pferde rennen. Selbst auf den Fidschi-Inseln fand ich eine Rennbahn. Auf Ceylon war sie in *Galle*. Ich weiß nicht, warum sie dort war, denn Galle ist ein unbedeutendes und unmäßig heißes Städtchen, das an die hundert Kilometer von der Hauptstadt Colombo liegt. Mich juckte das Wettfieber, und so löste ich in Colombo ein Retourbillet nach Galle. Daß ich ein Retourbillet nahm, war mein Glück – sonst säße ich noch heute in Galle. Denn vom ersten bis zum letzten Rennen verlor ich, und da ich, meinem System gemäß, die Einsätze von mal zu mal verdoppelte, verlor ich in geometrischer Progression. Mit voller Brieftasche war ich zum Rennen gefahren, doch als der Schimmel, auf den ich beim letzten Rennen gesetzt hatte, unter «ferner liefen» eintraf, war ich vollkommen leer geplündert. Mein Kreditbrief aber lag im Hotelsafe in Colombo.

Der Tag war selbst für Galle besonders heiß; so heiß in der Tat, daß man den Rennpferden Tropenhelme aufgeschnallt hatte, in die Löcher für die Ohren geschnitten waren. Einen kühlenden Drink in der Bar aber konnte ich mir so wenig mehr leisten wie einen Wagen zum Bahnhof. Und der Bahnhof war weit. Unterwegs sah ich im Schatten eines Mangobaums eine alte Singhalesin hinter einem Haufen grüner Kokosnüsse sitzen, die sie durstigen Eingeborenen aufschlug. Ich beneidete die barfüßigen Braunen um die kühle Kokosmilch, aber ich besaß nicht einmal die zwei Kupfer mehr, um es ihnen nachzutun.

Damals gelobte ich mir, nie wieder auf Pferde zu wetten, und ich habe dieses Gelübde nur ein einziges Mal gebrochen: kurz bevor ich nach Europa zurückkehrte, wurde in Rio de Janeiro der Grand Prix gelaufen, und ein Freund hatte mich auf die Tribüne des «Jockey-Club» eingeladen. Natürlich wettete er und ließ mir keine Ruhe, bis ich das Gleiche tat. Also setzte ich den kleinsten zulässigen Betrag auf einen Falben, der mir im Sattelplatz gefallen hatte. Er führte die Nummer dreizehn und kam so an, wie es dieser Zahl entspricht: irgendwo unter den letzten.

Während ich mein Ticket zerreißen wollte, sah ich meinen Freund vorwurfsvoll an. Doch er besah es, riß die Augen auf und rief: «Sie Glückspilz!» Wahrhaftig: im Gedränge war ich an den falschen Toto-Schalter geraten und hatte statt auf Nummer dreizehn eine Doppelwette auf die Pferde eins und drei abgeschlossen. Eins war Erster und drei war Zweiter geworden! Also bekam ich zweiundsiebzigfaches Geld ausbezahlt, und hätte ich statt des Minimums das Maximum gesetzt... Mein Freund rechnete einen phantastischen Gewinn aus. Auch so reichte er zu einem großartigen Dinner mit Champagner im Copacabana-Palacehotel, und ein hübscher Rest blieb noch übrig.

So wenig Verlaß ist auf Pferde...

Hunde sind mir lieber.

Meinen zweiten bekam ich als Student: «*Polly*», eine gestromte Bully-Hündin mit Fledermaus-Ohren.

Ich *bekomme* Hunde; ich suche sie mir nicht aus; sie suchen mich aus.

Die kleine Bully lief mir im Prager Stadtpark zu, wo ich auf einer Bank saß und zur ersten Staatsprüfung Römisches Recht büffelte. Ich konnte die Kleine nicht übersehen, denn sie zerrte an meinen Hosen. Als ich sie streichelte, umkläfften mich drei weitere Bullies: eine erwachsene und zwei junge.

Die weißhaarige Dame, die hinter ihnen herlief, fragte mich bestürzend direkt: «Do you want her?» – «Wollen Sie sie?»

Jedenfalls wollte die Kleine mich, denn sie ließ mein Hosenbein nicht los. Also setzte ich mich wieder, und die Dame setzte sich neben mich. Mit meinem Englisch war es damals nicht weit her, denn das Gymnasium hatte mir nur Latein und Griechisch beigebracht, mit denen ich später nicht viel anfangen konnte, während meine Schwester Französisch und Englisch lernen mußte, die sie ebensowenig brauchen konnte, weil sie einen Latein-Professor geheiratet hat. Wie immer: wir verständigten uns in einer Mischsprache; denn die fremde Dame radebrechte deutsch ähnlich, wie ich englisch. So erfuhr ich denn, daß sie mir die hübsche kleine Hündin in der Tat schenken wollte: an Ort und Stelle, mit Halsband und Leine dazu. Den Stammbaum versprach sie nachzuliefern; denn Polly war eine reinrassige französische Zwergbully (die aussieht, wie eine englische Bulldogge, die man durchs umgekehrte Opernglas betrachtet).

Wie ich später erfuhr, ist das eine besonders teuere Rasse, weil ihr großer Kopf die Geburt erschwert, so daß des öftern ein «Kaiserschnitt» notwendig wird, um sie zur Welt zu bringen.

Dennoch war ihre Züchterin entschlossen, die Kleine umsonst und sogleich loszuwerden, weil sie «eine Mörderin» sei. Dieses harte Wort begründete die Dame damit, daß Polly beim Gedränge um den Freßnapf eines ihrer Brüderchen vom Balkon gestoßen und damit umgebracht habe. So entrüstet war die Dame (und so wenig verstand sie – obschon Engländerin! – von Hunden), daß sie die «Mörderin» nicht mehr um sich dulden wollte.

Als ich Pollys Milchzähne aus meinem Hosenbein gehakelt hatte – was einige Zeit beanspruchte, denn Zwergbullies gleichen Bulldoggen auch darin, daß sie nur ungern wieder loslassen, worin sie sich einmal festgebissen haben –, war die Engländerin mit ihrer Meute bereits davon, und ich hielt meinen neuen Hund auf dem Schoß.

Da ich Polly nicht nach Hause nehmen durfte, ohne einen neuen Familienzwist heraufzubeschwören, gab ich sie meiner Freundin in Pension.

So kam es, daß Polly sich mehr an diese anschloß als an mich, und als meine Freundin heiratete, ließ ich sie ihr als Hochzeitsgeschenk.

Es fiel mir nicht leicht, mich von Polly zu trennen; aber «Gezwungene Liebe ist Gott leid», sagt ein gutes Sprichwort, und das hatte ich ebenso auf sie anzuwenden wie auf meine Freundin...

DER VERBRECHER

Kalawryta (im Gebirge Griechenlands), 1929

Ich hatte nicht gewußt, daß es auch unter Tieren Verbrecher gibt. Doch dann begegnete ich dem gelben Hund.

Wir lagerten am Strumgäs, so hoch uns die Maultiere hatten tragen können, und wollten zeitlich morgens auf den Chelmos hinauf, der alle Berge zwischen Korinth und Patras überragt. Im Schatten seines hufeisenförmigen Grats entspringt eine Quelle, deren eiskaltes spärliches Wasser in ausgehöhlte Baumstämme geleitet ist. Von weit her kommen die Herden zur Tränke herauf, obzwar sie zweitausend Meter hoch liegt, denn der Bergstock des Chelmos ist wasserarm, und die nächste Quelle entspringt drei Reitstunden talab. Hier also hatten wir abgesattelt und die Wolldecken fürs Nachtlager aufs Moos gebreitet. Ringsum klingelten die Glocken einer Ziegenherde, die auf den Hängen der Mulde weidete. Fern auf einer kegelförmigen Kuppe sahen wir grasende Pferde.

Zu einer dieser Herden gehörte der große gelbe Hund.

Er kam heran, als die Sonne noch hoch stand, ein fahler schleichender Fleck im hellgrauen Gestein, stand und bellte uns an.

Ich bin ein Hundefreund, und deshalb lockte ich den Gelben mit Brocken kalten Lammfleischs. Er kam mit eingekniffenem Schwanz bis auf zehn oder fünfzehn Meter heran, ohne im Bellen innezuhalten.

Der Maultiertreiber zielte mit einem Stein auf den Gelben. Aber obzwar der Mann gewohnt war, mit den halbwilden Schäferhunden seiner Heimat umzugehen, nahm ich ihm doch den Stein aus der Hand und warf dem Gelben das Fleisch zu. Er fraß es gierig, ohne die Augen von uns zu wenden, schlich bellend schräge näher und blieb im Schutze zweier Wacholderbüsche stehen.

So heulend und gehässig war sein Bellen, daß ich schließlich selbst ein Steinchen nach ihm warf – nicht um ihn zu treffen, nur um ihn zu verscheuchen. Harmlos und langsam kollerte es in die Büsche. Aber röchelnd vor Wut biß der Gelbe in die Zweige, zwischen die es gefallen war. Nun hinderte ich den Treiber nicht mehr, ernstgemeinte Würfe auf ihn zu zielen. Der Gelbe entfloh vor den Steinen, und wir aßen unser Abendbrot. Dann rollte sich der Treiber in seine Decke, zog die Mütze über die Ohren und schnarchte los.

Am Rande der Mulde waren Felsstücke im Kreis aufgeschichtet, als Korral für Schafherden und zu ihrem Schutz gegen Wölfe. Dort wollte ich meine Abend-Zigarette rauchen und die Sonne hinter den Bergen des Peloponnes sinken sehen.

Während ich in den Abendfrieden der klaren hellenischen Landschaft schlenderte, müßig nach den klingelnden Ziegen blickend, die sich nun der Quelle näherten, und nach Pferden, die fern im Preiselbeerkraut der Kuppe weideten, sah ich den gelben Fleck wieder. Er lief der Ziegenherde entgegen und heulte. In der dünnen Bergluft hörte ich den werbenden Klang dieses Heulens, und – siehe da – dem gelben Fleck verband sich nun ein schwarzer, und beide liefen vereint den Pferden zu. Gebell, Heulen, Gekläff und: was nun wieder näher kam, war nicht nur der falbe Hund und ein größerer schwarzer, sondern noch ein dritter, den ich beim Herankommen als braun und weiß gescheckt erkannte. «Der Gelbe hat Verstärkung geholt», dachte ich heiter, und wandte mich dem Stein-Korral zu, der die Mulde begrenzte.

Groß und rot berührte die Sonne den scharfen Grat und hob immer neue Felsenkämme silhouettenhaft aus dem Dunst. Ganz fern, zwischen Patras und Ithaka, blinkte das Meer himbeerfarben auf. Aber das dauerte nur wenige Minuten, kaum so lange wie meine Zigarette; dann verschwand die höchste Wölbung der Sonne wie ein verlöschender roter Funken hinter den Bergen von Zante, und das lebenswarme Glühen der Kämme erstarb. Der kalte Wind, der gleichzeitig heranstrich, ließ mich meiner Wolldecke an der Quelle gedenken. Doch als ich mich aufmachte, um die wenigen hundert Meter zu ihr zu gehen, sprang heiseres Gebell auf, und keine zehn Schritte vor mir stand der Gelbe. Ich sah ihn nun ganz deutlich: den knochigen, wolfsähnlichen Leib, der sich wie ein Keil von der breiten Brust zum dürren Hintern verjüngte, die hohen Vorderläufe, die er gegen den Boden spreizte, und das schmutzig-gelbe Fell, dessen Haare sich im Nacken sträubten. Das sah häßlich aus, doch nicht gefährlich. Aber ich sah nun auch die *Augen* des gelben Hundes, und mich fröstelte. Denn es waren die Augen eines Mörders.

Fast farblos waren sie, mit einem hellen gelblichen Schein; einem gemeinen Schein, wie ihn Glas hat, das Topas vortäuschen will. Und ein grünliches, tückisches Funkeln lief darüber hin, als der große Hund nun die Lefzen rümpfte und mit röchelndem Knurren seine weißen Wolfszähne entblößte.

Ich bückte mich nach einem Stein, denn nun merkte ich, der Gelbe meinte es ernst. Aber indem ich das tat, hörte ich hinter mir bellen, kurz und drohend, hinter mir an der Steinmauer, die ich eben verlassen hatte. Dort stand der schwarze Hund von der Ziegenherde, massig wie ein Neufundländer. Aufrecht stand er da – kein bösartiger Hund, doch verhetzt von dem Gelben – und bellte mich mit tief ergrimmtem Baß an. Seitlich von ihm kauerte der Scheckige von den Pferden; ich konnte ihn nicht genau erkennen, denn er hatte sich in den Schatten einer Klippe geduckt, doch ich sah seine Augen glimmen und hörte ihn knurren.

Die Hunde hatten mich umstellt, wie sie es gewohnt waren, einen Wolf zu umstellen, der ihrer Herde zu nahe kam, und ich hatte nichts bei mir, mich ihrer zu erwehren; keinen Stock, ja nicht einmal einen Stein. Denn indem ich mich gebückt hatte, um den Gelben zu schrecken, hatte ich bemerkt, daß ich auf einem Polster stachligen Struppgrases stand. Der Gelbe mußte das wissen; ja, er hatte wohl so lange geschwiegen, bis ich auf steinlosen Boden geraten war; mein Bücken schreckte ihn nicht, sondern verstärkte nur sein röchelndes Knurren.

Ich wandte mich wieder ihm zu, denn ich fühlte: er war die Gefahr, und die anderen waren bloß Mitläufer. Doch während er anhaltend knurrte und in kurzen Zwischenräumen ein heftiges und hetzerisches Bellen ausstieß, vernahm ich auch erregtes Knurren hinter meinem Rücken. Ich hörte es lauter, und ich hörte

es näher. Die drei Hunde erhitzten sich wechselseitig an ihrer Wut, und indem der Gelbe immer am heftigsten röchelte und knurrte, rückten auch die beiden andern gegen mich vor, der in ihrer Mitte stand.

Ich bin – wie jeder andere – einigemal in meinem Leben in Gefahr gewesen; niemals aber habe ich ein Grauen empfunden wie in diesen Minuten, in denen mich drei große wilde Hunde mit weißen Wolfszähnen eingekreist hielten und mir geifernd näher rückten. Wandte ich mich dem einen zu, schlichen die beiden andern ein wenig vor, und es kam der Augenblick, in dem alle drei mit entblößten Fängen und gesträubtem Rückenhaar so nahe um mich standen, daß ich keine Bewegung hätte machen können, ohne einen zu berühren.

Wenn ich das jetzt beschreibe, zittert der Stift in meinen Fingern; denn in jenem Augenblick wurde mir klar, ein wie gräßlicher Tod es ist, von Hunden zerrissen zu werden. Und mit derselben Deutlichkeit erkannte ich, daß dieser Tod vor mir stand...

So alt ich werde: nie werde ich vergessen, wie mich die Augen des großen Gelben glasgelb und grün anfunkelten.

Ich hatte Todesangst, und ich schrie.

Ich schrie, ohne Hoffnung, daß man mich hörte. Ich schrie aus Grauen in die Dämmerung hinein, und ich hörte das Echo meines Schreies tot und leer von den Felswänden zurückhallen.

Was die Hunde abhielt, sich in diesem Augenblick auf mich zu stürzen – ich weiß es nicht. Vielleicht baute der Rest der Scheu, den auch verwilderte Hunde vor dem Menschen fühlen, eine letzte Mauer um mich. Hätte der Gelbe zugebissen – es wäre aus gewesen. Aber erst stieß er seine Nase gegen meine Beine vor, sprang kurz und heulend zurück, und – Dank Gott! – ein Pfiff schrillte von der Quelle her.

In mächtigen Sätzen, den langen Hirtenstab schwingend, kam ein Mann herangesprungen.

Es war der Hirt der Ziegen, der Herr des Gelben...

Die Hunde schwiegen. Als er neben mir stand, sah ich sie nicht mehr...

Ich habe diese Nacht nicht geschlafen, denn ich fürchtete den großen gelben Hund, und fast mehr noch fürchtete ich, von ihm zu träumen. Ich bin auch nicht auf den Gipfel des Chelmos geklettert, obschon er kaum noch dreihundert Meter höher als jene Quelle vor mir stand.

Sondern ich bin schon um vier Uhr morgens nach Kalawryta zurückgeritten, fünf Stunden lang, ohne aus dem Sattel zu steigen.

FAMILIE SEALYHAM

Locarno-Monti (1936)

Wie kommt man zu einem Hund? Man inseriert, besucht Zwinger, berät sich mit dem Tierarzt – es kostet Zeit und Geld, und bisweilen mißlingt es doch.

Ein Freund brauchte Monate, bis er exakt *den* Hund bekam, den er sich gewünscht hatte: rasserein und stubenrein; so jung, daß er einen neuen Herrn annahm und so alt, daß ihm die Staupe nicht mehr drohte; nicht zu groß und nicht zu klein; ein Hund mit dem Stammbaum eines Herzogs und dem Brustkorb eines Boxers. Ein «Boxer» war er denn auch. Ein idealer Hund; sogar zu den Möbeln paßte er. Mein Freund war nicht wenig stolz auf ihn. Nur wenn man fragte, was er bezahlt habe, seufzte er; denn er ist ein sparsamer Mann. «Immerhin», tröstete er sich, «es ist *der* Hund für mich!» Für ihn war es auch der Hund, aber nicht für seine Frau. Die biß er, kaum daß er ihrer ansichtig wurde, rechts hinten unter die Gürtellinie, obwohl er das als Boxer nicht hätte tun dürfen. Als sie sich bückte, um ihm dessenungeachtet den Freßnapf vorzusetzen, biß er sie auch links hinten. Darauf stellte die Gattin die Alternative: er oder ich! – Mein Freund brachte den Hund zurück und war erstaunt, um wieviel sich dessen Wert in *einem* Tag vermindert hatte.

So etwas ereignet sich trotz aller Aufmerksamkeit, und da es sich ereignet, warte ich gewöhnlich, bis mir der Zufall einen Hund beschert. Allerdings ist dieses Rezept nicht immer zu empfehlen, denn einmal kaufte ich einen jungen Dackel, weil er mir nachlief. Aber der Dackel lief jedem nach, der ihn freundlich anblickte, und für das Geld, das mich die Vermißt-Anzeigen kosteten, hätte ich mir eine Meute halten können.

Hingegen kam ich im Tessin eines Tages ohne Kosten zu einem Hund, und zwar zu genau *dem* Hund, den ich mir gewünscht hatte.

Ich hatte mir immer einen *Sealyham* gewünscht, so einen verschwiewelten kurzbeinigen Köter, der aussieht wie die Kreuzung aus einem Tatzelwurm und einer Straßenbürste. Die Sealyhams sind nicht unbändig wie die Fox- und nicht sentimental wie die Skye-Terrier. Sie sind gesetzten Wesens und verbinden Scotchterrier-Härte mit Bullterrier-Treue zu ihrem Herrn.

Das anmaßende Wort «Herr» gebrauche ich nur seiner Verständlichkeit wegen. In Wahrheit betrachtet sich kein Sealyham als Eigentum seines Herrn, sondern diesen als das seine. Wenn der Sealyham gelegentlich folgt, denkt er etwa: «Der Mensch stört mich zwar beständig, aber ich habe ihn nun einmal lieb.»

«Du solltest deinen Menschen besser erziehen!» bellt ihm die Straßenbekanntschaft nach, von deren Beriechung ihn sein Herr brüsk abberief. – «Was soll ich machen?» blafft der dem vierten Pfiff endlich folgende Sealyham halben Wegs zurück. «Ich liebe ihn eben!»

So unterwürfig freilich liebt kein Sealyham seinen Menschen, daß er ihm *stets* folgte. Namentlich dann nicht, wenn sein Mensch eine Dame in Abendtoilette ist. Die mag «Darling» flöten und «O come on, please!» locken: der Darling kommt nicht nur nicht heran, sondern stemmt seine vier kurzen struppigen Beine entgegen der Fahrtrichtung und läßt sich lieber quer durch die Hotelhalle schleifen, als daß er selber liefe. «Seht, wie unfolgsam mein Mensch ist!» klagen dabei seine treuherzigen braunen Augen.

Als das geschah – es ist lange her und ich hatte damals eine Villa in Orselina gemietet – saß ich mit Gerhart Hauptmann, seiner Gattin und seiner Sekretärin in der Hotelhalle des «Esplanade». Auf unserem Tisch zischte der Kaffee durch einen jener gläsernen Kolben, die wie eine chemische Retorte aussehen und die neue Sachlichkeit dadurch erweisen, daß sie keinen Henkel haben und man sich die Finger an ihnen verbrennt. Immerhin filtrieren sie guten Kaffee.

Jener Sealyham trotzte, als wisse er, daß die Dame im Abendkleid vor festlich besetzten Tischen und unter den Klängen von Debussy – das Quartett strich eben schmelzend «Pelleas und Melisande» – wehrlos war. Er hatte auch richtig kalkuliert, denn die Dame hob ihn hoch und trug ihn – wenn auch wütenden

Blicks, so doch graziös an ihr Dekolleté gepreßt – in den Speisesaal.

Ich war entzückt von dem Kerlchen. Von hundeherrlicher Einbildung geschwellt, behauptete ich: «*Mir* würde er folgen!»

«Wollen Sie ihn?» fragte die Sekretärin.

«Welche Frage!» seufzte ich. «Natürlich will ich ihn; seit jeher will ich einen! Aber wissen Sie, was so ein Sealyham kostet? Fünfhundert Franken gering gerechnet. Fünfhundert Mark verlangte ein Berliner Züchter für einen zweimonatigen, und der hatte keinen schwarzen Fleck auf dem Hintern.»

«Wer? Der Züchter?» wollte Hauptmann wissen.

«Nicht doch, der Sealy! Und der da hat auch das korrekte Monokel ums Auge, nur Schwarz und kein Braun ... Wer weiß, was der kostet!»

«Dreißig Guineas hat er schon als Puppy gekostet.»

«Und jetzt ist er wohl ein Jahr und kostet das Doppelte!»

«*Nichts* kostet er! Wenn Sie wollen, können Sie ihn gleich mitnehmen.»

«Ha?...»

Und nun erfuhr ich etwas, was einem sonst nur Träume vorgaukeln. Die Dame im Abendkleid war eine Amerikanerin, die ihren Sealyham in London aus berühmter Zucht gekauft hatte, nun aber nichts mit ihm anzufangen wußte, weil sie heimfahren wollte, und Hunde nicht in Schiffskabinen dürfen. Sie hatte schon die Sekretärin gefragt, ob sie ihn geschenkt wolle. Da aber die junge Dame kein eigenes Heim hat, und auf Gerhart Hauptmann schon zwei rauhhaarige Dachshunde in Agnetendorf warteten («Hunde von buddhistischer Weisheit», versicherte der Dichter), stünde tatsächlich nichts im Wege, daß ich den Sealyham geschenkt bekäme.

Während die Sekretärin mit der Amerikanerin verhandelte, hielt ich ihn schon an der Leine und war vor Spannung so geistesabwesend, daß ich den Wunsch der gütigen Frau Hauptmann: «Ach lassen Sie ihn doch frei, er will mit dem kleinen Bully drüben spielen!" sogleich befolgte. Worauf der Sealy mit dem Bully auf eine Weise zu spielen begann, die einen auch außerhalb einer gepflegten Hotelhalle zum Erröten bringen kann.

«Sehen Sie nicht hin», flüsterte der Dichter, «tun Sie, als ob er nicht Ihnen gehöre; er gehört Ihnen ja wirklich noch nicht...» Da aber kam schon seine Sekretärin mit dem Bescheid, *daß* er mir gehöre, und die Amerikanerin nurmehr den Wunsch habe, ihn niemals wiederzusehen. Wie sie sagte, weil ihr das Herz zu schwer würde; wie ich glaube, weil sie durch die Glaswand der Halle beobachtet hatte, *wie* er mit dem Bully spielte.

Also nahm ich den strampelnden Sealyham unter den Arm und verließ meine verehrten Gastgeber mit unziemlicher Eile und besabberter Weste. Denn Sealyhams tragen Schnauzbärte wie Kanalräumer.

So kam ich wieder zu einem Hund.

Unterwegs benahm sich «*Rio*» – so nannte ich ihn später – leidlich. Als ich ihn jedoch vor dem Tor seines neuen Heims zu Boden setzte, hob er die Schnauze himmelwärts und heulte einen so langen Sopranton, daß mir das Staunen kam, wie lange er ihn aushielt, ohne Atem zu schöpfen. Ich versuchte zwar, ihm klarzumachen, daß dies ein friedliches Haus und durchaus bereit sei, ihn aufzunehmen: doch es half nichts.

Während ich ihn am Halsband festhielt und gleichzeitig versuchte, das Gartentor aufzuschließen – was schwierig war, denn er riß am Halsband –, rief er alle Welt zu Zeugen seines Kummers an. Und da ich keine dritte Hand hatte, um ihm die Schnauze zuzuhalten, heulte er so meine Wirtschafterin wach, durch Fensterladen und geschlossene Fenster hindurch bis in die Mansarde. Madame war eine so mutige wie gütige Frau. Den Mut erwies sie, indem sie dem gespenstigen Mitternachtsheulen im Nachthemd mit dem Revolver in der Hand entgegenschritt. Ihren altererbten Revolver verstand sie zwar weder zu laden noch abzudrücken, schrieb ihm aber ähnliche magische Kräfte zu, wie tibetanische Mönche dem Dolch ihres toten Abtes.

Während ich mich wegen der schrillen Störung ihrer Nachtruhe entschuldigte (die der Sealyham-Terrier mit geübter Atemtechnik fortsetzte), erwies sie sogleich auch ihre Güte. Sie umschlang den borstigen Hund mit beiden Armen und hätte ihn in ihre Stube getragen, wenn ich ihn nicht für mein Schlafzimmer beansprucht hätte.

Das bedauerte ich während der ganzen Nacht. Denn obwohl der Sealyham, da er sich eingeschlossen sah, sein Heulen einstellte, hörte er deshalb nicht auf, seinen Protest zu äußern. Unermüdlich trabte er durchs Zimmer hin und her, und bei jedem Hin und Her stieß er an ein Möbelstück. Zwischendurch ächzte er, und alles in allem hätte ich lieber eine große Bulldogge bei mir gehabt als diesen kleinen Sealyham. Bulldoggen pflegen ihren neuen Herrn in der ersten Nacht auf den Tisch zu jagen. Dann schläft er auf dem Tisch und die Bulldogge unterm Tisch, und beide haben ihre Ruhe.

Ich hatte meine Ruhe nicht. Erst als es hell wurde, ergab sich der Hund in sein Schicksal und sprang in mein Bett, wo ich ihn, um des lieben Friedens willen, denn auch liegen ließ.

Der Frieden freilich, der bisher mein Haus erfüllt hatte, bekam schon am ersten Tag einen Knacks. Zunächst, weil Madame den Sealy mit einem gerührten «Armes kleines Hündchen!» bemitleidete, während ich mehr Anspruch auf Mitleid zu haben glaubte. «Hunde müssen *erzogen* werden», bemerkte ich deshalb mit einiger Schärfe. Die gute Frau sah mich schweigend an und entfernte sich, den Sealyham in den Armen, der seinen bärtigen Kopf heuchlerisch an sie schmiegte.

Hier geht es um Grundsätzliches, erkannte ich, um die Erziehung meines Hundes. Und indem ich mich entsann, daß ich mir noch gegen jeden meiner Hunde Strenge vorgenommen hatte und bei Verwöhnung gelandet war, folgte ich der Wirtschafterin in die Küche, wo sie den Sealyham auf dem Schoß schaukelte.

«Madame», sprach ich ernsthaft, «das ist ein erwachsener Hund und kein kleines Kind. Kosen taugt nicht für erwachsene Hunde. Auch ich habe es damit versucht, und wenn Sie wissen wollen, was dabei herauskam, brauchen Sie nur nach Berlin zu fahren. Ganz Wilmersdorf wird sich noch meiner Spaziergänge mit dem Wachtelhund ,Seppl' erinnern; denn sie erheiterten die Leute in trüber Zeit. Es gibt in Wilmersdorf kaum einen Eckstein, kaum einen Baum (es sei denn, er wäre seither gewachsen) und gewiß nur wenige Leitungsmaste, an die mich Seppl nicht an der Leine herangezogen hätte. Und es gibt nur wenige Straßen in Wilmersdorf, in denen ich nicht hinter Seppl hätte herlaufen müssen.

Die Wilmersdorfer Kinder kannten ihn, denn er spielte mit ihnen, und die Wilmersdorfer Briefträger kannten ihn auch, denn er schnappte nach ihren Beinen. Besonders gut aber kannten ihn die Straßenbahn-Schaffner, die seinetwegen halten mußten, weil er seiner Verdauung gern zwischen den Schienen oblag. Es war ein guter Hund, und ich hatte ihn lieb, aber es war ein anstrengender Hund. Dazu hatte ihn mein Kosen gemacht. Er hatte mich, nicht ich ihn. Hingegen hat – nun passen Sie, bitte, auf! – mein Freund Heinz einen Hund, den er mit Strenge erzieht. Der folgt ihm auf den Pfiff, weil er weiß, daß er sonst an die Kette kommt.»

«Sie wollen den Hund doch nicht anbinden?» unterbrach mich Madame verstörten Blicks. «Ein so liebes Hündchen *anbinden*!»

« Jawohl», ereiferte ich mich, «das will ich, wenn er nicht folgt, und ich will ihm nur einmal täglich zu fressen geben und niemals Zucker, weil der die Zähne verdirbt! Jawohl, so macht das mein Freund Heinz, und *sein* Hund ist richtig erzogen.»

Die gute Frau räumte die offene Zuckerdose vom Tisch und sah mich von der Seite an, und Rio sah uns beide an, leckte sich die Zuckerkrümel aus dem Schnauzbart und rollte sich beruhigt zum Schlaf. Er verließ sich auf Madame, und er tat recht daran. Von Tag zu Tag mußte ich einen Pflock meiner Strenge zurückstecken, so daß nicht mehr ich Herr im Hause war, sondern der weiße Sealy mit dem schwarzen Monokel. Das beste Beet war nicht mehr dazu da, daß ich Rittersporn auf ihm zog, sondern daß der Sealyham Knochen in ihm verscharrte; die Divandecke wurde zur Hundedecke, und an meinen Lieblingssessel kam ich nurmehr heran, wenn der Sealyham fraß. Das Landhaus war zum Hundehaus geworden, und das war mit ein Grund, dessentwegen ich den Mietvertrag gekündigt und mir ein eigenes Haus gebaut habe.

*

Als Rio zu mir kam, war er ein Jahr alt.

Das ist der Grenztermin für die Erziehung eines Hundes.

Ein einjähriger Hund entspricht biologisch einem sechzehnjährigen Menschen. Er ist geschlechtsreif und beinahe ausgewachsen, seine Gewohnheiten schleifen sich ein, sein Charakter beginnt sich zu festigen. Ein sechzehnjähriger Mensch und ein einjähriger Hund sind eben noch erziehbar, ein Zwanzigjähriger oder ein eineinhalbjähriger Hund ist es kaum mehr.

Aus eigener Erfahrung kenne ich keinen Fall, in dem sich ein Mensch jenseits des zwanzigsten Lebensjahrs wesentlich geändert hätte. Folgerichtig endet deshalb die Schuldisziplin mit dem achtzehnten Lebensjahr. Die Hochschulen stellen nur noch Wissens-, doch keine Sittennoten mehr aus.

Je älter ich werde, um so skeptischer denke ich über die Erziehung Erwachsener. Gelingt es mir doch nicht einmal, mich selbst zu erziehen.

Wehmütig entsinne ich mich des Eifers, mit dem ich als Student einen ergebenen aber verlogenen Freund zur Wahrhaftigkeit zu erziehen versuchte. Ich habe ihn mir für Lebenszeit zum Feind gemacht.

Noch in den Dreißigern versuchte ich, eine sonst tüchtige aber unordentliche Sekretärin zu meiner Pedanterie zu erziehen. Nutzlos habe ich damit uns beiden ein Jahr vergällt.

Nun unterlasse ich solche Experimente. Ihre Schwierigkeit steht in keinem Verhältnis zu ihrem Erfolg. Erziehung, erkenne ich, schafft nicht, sondern entwickelt. Ein erwachsener Mensch aber ist schon entwickelt. Demnach kann seine Erziehung nurmehr Bildungslücken füllen oder das Benehmen polieren. Aehnliches gilt von Hunden.

Man sagt, daß ein Hundejahr sieben Menschenjahren entspricht. Das stimmt nur allgemein, wenn man das durchschnittlich zehnjährige Leben eines Hundes zum etwa siebzigjährigen Menschenleben ins Verhältnis setzt. Im ersten Lebensjahr stimmt die Umrechnung gewiß nicht. In ihm verläuft die Entwicklung des Hundes erheblich rascher. In sechs Wochen legt er das Säuglingsalter zurück, in weiteren sechs Wochen die frühe Kindheit. Mit drei Monaten ist ein Hund im Verhältnis etwa so weit wie ein schulpflichtiges Kind. Nach einem Jahr entspricht die Entwicklung seines Intellekts und Charakters mindestens sechzehn Menschenjahren.

Als ich Rio bekam, war es demnach höchste Zeit, ihn zum Zusammenleben mit seinem neuen Herrn zu erziehen. Das war umso notwendiger, als er bis dahin überhaupt keinen Herrn, sondern nur Herrinnen gehabt hatte; denn er war aus dem Zwinger einer Londoner Dame ins Eigentum der Amerikanerin übergegangen, die sich mit ihrer Privatsekretärin in seine Erziehung geteilt hatte.

Der zwar kurzbeinige aber derbe und scharfzähnige Rüde – ein Hund von immerhin zehn Kilo! – benahm sich wie ein verpimpeltes kleines Mädchen. Er bellte nicht, sondern jaulte, und er knurrte nicht, sondern raunzte. Es dauerte ein halbes Jahr, bis ich einen richtigen sonoren Beller von ihm zu hören bekam. Zu Beginn war er so nervös, daß er vor Entsetzen pfiff, wenn auch nur eine Zeitung zu Boden fiel. Im Dunkeln fürchtete er sich so, daß er heulte, bis Licht gemacht wurde. Mehr als vor allem andern aber fürchtete er sich vor Türen. Wahrscheinlich war er einmal geklemmt und übermäßig bedauert worden. Jedenfalls durchschlich er nur weit geöffnete Türen. Hingegen fürchtete er sich nicht vor Automobilen, sondern erwartete, daß sie ihm auswichen. Gegen andere Hunde benahm er sich hochmütig. Er beschnupperte sie zwar, grunzte aber beleidigt, wenn sie ihn beriechen wollten. Mir entfloh er zur gütigen Wirtschafterin, die seine Sünden verschwieg und stets einen Trosthappen für ihn in der Schürzentasche trug. Solange er noch weiblichen Rückhalt hatte, mußte ich also seine Erziehung vertagen.

Als ich aber mein eigenes Haus bezogen hatte, begann ich, auch Rio neu zu behandeln. Er war inzwischen vierzehn Monate alt geworden; da war keine Zeit mehr zu verlieren. Schon in der ersten Nacht wies ich ihm sein Lager im dunklen Treppenhaus an. Er heulte erbärmlich, und ich ließ ihn heulen; er scharrte an meiner Tür, und ich ließ ihn scharren. Es war eine unruhige Nacht; gegen Morgen schloß ich ihn in den Keller ein. Schon in der zweiten Nacht verhielt er sich still, um auch nur im Treppenhaus bleiben zu dürfen, und seither ist er ein ruhiger Hausgenosse geblieben.

Mit der Zeit gewann er die Überzeugung, das Haus gehöre ihm. Hunde haben einen ausgeprägten Eigentumsinn. Auch ein feiger Hund wird im eigenen Grundstück mutig, und Rio war zwar bis zur Nervosität, doch nicht bis zur Feigheit verzärtelt worden. Die meisten Sealyhams sind herzhaft; sind sie doch auf Courage gezüchtet, um scharfzähnige Füchse und Dachse aus dem Bau zu beißen. Rio ist so angriffig, daß es des Durchbeißens seines linken Ohrs bedurfte, um ihm die Proportion zwischen sich und einem Mastiff klarzumachen. Es war ein gutmütiger Mastiff, aber als Rio ihm mit provozierendem Knurren den Weg vertrat, konnte er nicht umhin, ihm den Denkzettel zu geben. Seither tut Rio, als sähe er den Mastiff nicht. Daß er nicht vor ihm davonläuft, spricht für seinen Mut. Einmal mißverstand der Mastiff Rios Reserve und sprang in unseren Garten. Worauf ihm Rio stracks an die Kehle fuhr. Im eigenen Grundstück würde er einen Löwen attackieren. Kleine Hunde hat er seit je unbehelligt gelassen. Hierin wie in manchem anderen ist er Gentleman.

Katzen jagte Rio gern; weniger aus Mordlust als aus Freude, daß sie vor ihm davonliefen. Ich konnte es ihm nicht abgewöhnen; doch schließlich gewöhnte es ihm eine trächtige Katze ab. Es war eine falbe Bauernkatze, von der Rio angenommen hatte, sie werde so hurtig wie andere vor ihm davonlaufen. Sie aber tat etwas ganz anderes: sie sprang ihm auf den Rücken, krallte sich mit den Hinterbeinen in seinen Schinken fest und ohrfeigte ihn, während er wie toll im Kreise lief. Er pfiff vor schmerzlicher Überraschung und wurde sie erst los, als er sich, gedemütigt, zu Boden warf. Die falbe Katze setzte sich neben ihn und sah aufmerksam zu, wie er sich wieder aufstrampelte. «Wünschen Sie noch etwas?» schienen ihre großen gelben Augen zu fragen. Aber Rio wünschte nichts mehr. Seither ist er umgänglicher mit Katzen, und mit der Hauskatze hat er sich seit je abgefunden. Ein rechtschaffener Hund beißt nicht, was zum Haus gehört.

Aber das ist vorweggenommen, denn zwischen Rios Einzug im eigenen Haus und der Lektion, die ihm die falbe Katze erteilte, liegt das Jahr seiner Erziehung vom Schoßhund zum Mannshund. Zum Hunde *eines* Mannes.

Ich mag Hunde nicht, die sich jedermann anbiedern. Sie gleichen den wahllos charmanten Menschen, denen ich auch nicht traue. Solche Hunde und solche Menschen verzetteln ihre Liebe.

Es gibt Hunderassen, die zum Kalfaktern neigen, wie etwa Windspiele oder Malteser; meist sind sie hübsch und dumm. Und es gibt wiederum Rassen, die vorzugsweise Einmannhunde liefern, wie die Pinscher, die Bulldoggen und die Sealyhams. Die besten Einmannhunde sind Chow-Chows, mongolische Hirten-Spitze mit dicken Pelz und blauer Zunge. Ein richtiger Chow-Chow läßt sich nur von seinem Herrn anfassen, während er sich gegen fremde Anbiederung mit gesträubtem Fell und entblößten Zähnen verwahrt. Ausnahmen freilich gibt es hier wie dort. Nicht in jedem Individuum verbürgt die Rasse die Eigenschaften, derentwegen sie gezüchtet wurde.

Als Sealyham brachte Rio die Voraussetzung mit, ein Einmannhund zu werden. Da er aber während seines eindrucksfähigsten Lebensjahrs ein Zwei-Damen-Hund gewesen war, dauerte es lange, bis seine verschüttete Anlage wieder bloßgelegt war. Ich fütterte ihn selbst, doch ich fütterte ihn karg; ich nahm ihn auf Bergtouren mit, und wenn er wimmernd flehte, getragen zu werden, ließ ich ihn zwar ausruhen, doch weiterlaufen. Er mußte seine rosigen Pfoten durchlaufen, bevor er sich die lederharte Sohlenhaut angelaufen hatte, die ihn befähigte, ausdauernder als ich im Gebirge zu steigen. Er hatte solche Angst vor Wasser, daß er mir die Brust zerkratzte, als ich ihn zum erstenmal in den See trug; bald aber schwamm er so gern, daß ich ihn im Boot anbinden mußte. Es gab Monate, in denen er mich haßte und mir das auch zeigte. Ich kann nicht beweisen, daß er mich nun liebt, denn Rio ist ein reservierter Hund; doch ich weiß, daß ich in seiner Gegenwart keinen andern Hund streicheln darf, ohne daß er ihn packt, wo immer er ihn zuerst packen kann. (Die einzige Ausnahme macht er mit seiner Tochter «Bamba».) Als ich einem Pferd den Hals tätschelte, biß er es ins Bein.

Einmal hielt ich einen Radiovortrag, und meine Wirtschafterin hörte ihn in Locarno an. Hernach berichtete sie mir, Rio habe, als er meine Stimme hörte, durchaus in den Lautsprecher springen wollen und um sich gebissen, um freizukommen. Mir freilich zeigte er keine derartige Ekstase. Als ich heimkam, beschnupperte er mich sachlich, und nachdem er festgestellt hatte, daß ich zu keinem andern Hund in Beziehung getreten war, wedelte er dreimal.

Ich zähle das Wedeln von Rios Schwanzstummel. Er tariert es genau. Die neue Wirtschafterin würdigt er eines halben Wedlers, mich für gewöhnlich eines ganzen. Zweimal gewedelt ist schon eine besondere Auszeichnung; er verleiht sie mir, wenn ich mit ihm ausgehe.

Rio geht sehr gern aus, vor allem der Analysen wegen, die er unterwegs an Ecksteinen und Mauern vornimmt. Manchmal sträubt sich dabei sein Rücken-haar, und er knurrt. Dann war «Lolo» dort gewesen, mit dem er sich schwer gebissen hat, oder «Achilles», dem er Bambas wegen mißtraut. Manchmal grunzt er befriedigt, was auf eine Korrespondenz mit seinem Freund «Fido» schließen läßt.

Dieses Beriechen und Benässen stammt wohl aus der alten wilden Zeit, in der sich verlaufene Wölfe solcherart zu ihrem Rudel zurückfanden. Es besteht da-bei eine besondere Etikette, die Rio manchmal veranlaßt, erst probeweise von rechts an einen Eckstein heranzugehen, unschlüssig stehen zu bleiben, zurück-zugehen, von links zu kommen und – wer weiß warum – dann erst seine Karte abzugeben.

Auch die besondere Vorliebe der Hunde für Knochen ist nicht ohne weiteres er-klärbar. Ein Knochen ist minder nahrhaft als Fleisch, und doch ziehen ihn die meisten Hunde vor. Einem befreundeten Hund darf man zwar Fleisch weg-nehmen, bei einem Knochen aber knurrt er oder schnappt gar. Vielleicht findet der Hund im Knochen einen subtileren, der Zigarette vergleichbaren Genuß.

Vergräbt Rio Knochen, geht er ungemein vorsichtig zu Werk. Nur zufällig ist er zu ertappen, wenn er, den Knochen tief im Maul verbergend und sich immer wieder mißtrauisch umwendend, ins Gebüsch schleicht. Fühlt er sich beobach-tet, entfernt er sich und täuscht harmloses Schlendern vor. Ich nehme an – zu beobachten gelang es mir noch nicht –, daß er bei gelegener Zeit zurückkommt. Meist ist nur seinem erdbekrusteten Bart anzumerken, daß er einen Knochen vergraben oder, mag sein, ausgegraben hat.

Einmal erlebte ich eine geradezu Strindbergsche Knochenszene. Rios Tochter

Bamba, damals noch ein Zweimonats-Hündchen, hatte bei ihrem kindlichen Scharren unter dem Kirschlorbeer Rios Knochen ausgegraben. Er kam dazu und stieß, an die Stelle gebannt, ein schmerzliches Stöhnen aus: die eigene Tochter war in sein Safe eingebrochen!

Rio hat den stärkst ausgeprägten Eigentumssinn, den ich an einem Hund beobachtet habe. Diesseits der Gartenmauer ist die ihm gehörige, jenseits die allgemeine Welt. Er gibt unbedingt Laut, wenn jemand sich der Mauer nähert, und das Tor bewacht er so energisch, daß er auch starke Männer bedenklich stimmt. Verteidigt er das Haus, erregt er Furcht, so klein er ist. Rufe ich ihn, zieht er sich zur Verteidigung der Küche zurück, die ihm das Allerheiligste bedeutet. In die Küche darf nicht einmal Fido; in der Küche sind Knochen. Tägliche Besucher, wie den Briefträger oder den Milchjungen, läßt Rio zwar durch die Garten-, nicht aber durch die Küchentür. Was Fressen anlangt, traut er keinem. Rio teilt das allgemeine Hundemißtrauen gegen Briefträger; es gründet sich, wie ich annehme, auf die in ihrer Vielzahl verwirrenden Gerüche fremder Häuser, die Briefträgern und andern Boten anhaften.

Mit Hunden beißt er sich häufig und rouliert und schnappt dabei so wild, daß ich kaum eingreifen kann. Menschen hat er bisher nur einmal gebissen – seltsamerweise einen Mann, der nicht lange darauf zu Zuchthaus verurteilt wurde. Rio hat ein gutes Werturteil für Menschen wie für Hunde. Ich habe es aufgegeben, ihn hierin zu belehren. Er entscheidet, vermute ich, richtiger als unsereiner. Wenn er einem Besuch ein halbes Wedeln zukommen läßt, akzeptiere ich das als verläßliche Empfehlung.

Dickköpfig, stur und unbedingt treu lebt Rio nun im eigenen Haus. Ein zottiger kleiner Bergköter.

Ich habe ihm wenig von dem anerzogen, was wohldressierte Hunde auszeichnet. Stubenrein war er schon, als ich ihn bekam, und die Pfote gibt er nur gegen die unmittelbare Gegenleistung eines Knochens. Aber er ist aus einem Schoßhund zu einem Mannhund geworden. Zu einem trotzigen Einmannhund mit einem mutigen Herzen.

Meinen Befehlen freilich folgt er nicht immer.

Aber liegt da die Schuld an ihm?
Einem Freund befiehlt man nicht.
Mit einem Freund verständigt man sich.

*

Während ich Rio einem Zufall verdanke, ist „*Bamba*" auf dem natürlichen Wege zu mir gekommen, daß Rio sie zeugte. Sie war das vertraglich ausbedungene Junge dafür, daß er eine charmante (wenn auch etwas spitznäsige) Sealyham-Hündin Wiener Abstammung deckte.

Rios Ruf als englischer Champion-Sproß hatte sich unter Züchtern weit herumgesprochen. Bis aus Florenz und Genf offerierten sie ihm Bräute. Der Genfer bot freie Fahrt und achtzig Franken bar. Doch obwohl es üblich ist, sich den Liebesdienst eines guten Rüden bezahlen zu lassen, genierte mich die Mitgift, und ich wählte für Rio die Hündin, in die er verliebt war: die spitznäsige Wienerin „*Patsy*". Statt einer Mitgift verlangte ich ein Junges aus dem Wurf. Rio brauchte einen Spielgefährten, um nicht zu verfetten.

Patsy war eine so feurige Braut, daß sie Rio bei der ersten Begegnung mit einem Schlenker die Treppe hinunterwarf. Allmählich aber zügelte sie ihr Temperament, und als ihre Zeit gekommen war, warf sie sechs kleine Sealyhams. Gut sortiert: drei Rüden und drei Weibchen.

Die Wahl war schwer, denn die Kleinen purzelten andauernd durcheinander, und glaubte ich, dieses Weibchen sei es, das ich tags zuvor der kürzesten Beinchen und des dicksten Köpfchens wegen in Betracht gezogen hatte, war es statt dessen ein kleiner Rüde. Es sollte aber eine Hündin sein, damit sich Rio mit ihr vertrüge.

Patsys Herrin verwirrte mich mehr, als daß sie mir half. Sie hatte eine der kleinen Hündinnen besonders in ihr Herz geschlossen und und bebte vor Angst, ich könnte gerade die nehmen. Schließlich griff ich aus dem zappelnden Haufen die kleine Hündin, die mit einem Monokel überm linken Auge und einem schwarzen Fleck auf der Hinterbacke Rios Zeichnung am getreuesten wiedergab. Sie würde, nahm ich an, ihrem Vater auch innerlich gleichen. Das erwies sich zwar später als Trugschluß, doch wenigstens entführte ich nicht den besonderen Liebling der Züchterin. Immerhin nahm sie auch von dieser Kleinen schluchzenden Abschied, während die leibliche Mutter gleichgültig blieb.

Patsy war keine gute Mutter. Darin hat sie sich später geradezu tragisch übersteigert. Begegnete sie Bamba auf der Straße, fiel sie stracks über sie her. Bei drei aufeinanderfolgenden Begegnungen biß sie ihre Tochter in die Kehle, ins Ohr und in den Bauch. Wahrscheinlich erzürnte es sie, ihren Gatten Rio an ihr zu riechen. Jedenfalls war es so aufregend, die jaulende und schnappende Verwicklung wieder in Mutter und Tochter zu zerlegen, daß ich aufatmete, als Patsy nach Wien zurück übersiedelte.

Aber das ist vorgegriffen; denn als ich Bamba in einem Körbchen heimtrug (aus dem sie andauernd aufs Pflaster zu stürzen strebte), konnte sie weder jaulen noch schnappen, sondern pfiff nur dünn. Damals hieß sie auch noch nicht Bamba. So benannte ich sie erst nach reiflicher Überlegung in Ergänzung zu Rios Namen. Riobamba nämlich ist ein Städtchen in Ekuador, in dem ich einmal angenehme Wochen verlebt habe.

Zur reiflichen Überlegung, wie die Kleine zu benennen sei, veranlaßte mich meine Erfahrung mit Rio. Der war, als ich ihn bekam, „Patch" gerufen worden, weil er vorn wie hinten je einen schwarzen Fleck hatte. Also rief auch ich ihn „Patch!" – oder phonetisch geschrieben „Petsch!" –, und ich mußte ihn oft so rufen, denn sein Appell ist, wie ich schon sagte, schlecht. Rief ich ihn auf der Straße, lächelten die Tessiner. Was haben die nur? fragte ich mich und rief weiter. – Was sie hatten, erfuhr ich erst, als mich der Tierarzt nach dem Namen des Hundes fragte. Er staunte über die Auskunft und empfahl mir, ihn anders zu nennen. – Warum denn? – Der Name sei im Tessiner Dialekt nicht eben stubenrein. Nun erst verstand ich das vergnügte Lächeln der Einheimischen und rief ihn von da an «Rio». – Nur wenn ich besonders lieb zu ihm sein will, flüstere ich ihm «Patch» zu. Er zieht dann die Stirne in Falten, als dächte er vergangener Zeiten.

Also fragte ich, bevor ich die Kleine benannte, vorsichtshalber einen Tessiner, was «Bamba» bedeute. «Bambo», erläuterte der, «nennen wir einen täppischen Burschen, «Bamba» ein täppisches Mädchen.»

Der Name paßte also, denn tolpatschig war die Kleine, wenn auch voll Güte. Sie stolperte über ihre eigenen Beinchen, badete im Freßnapf und hielt ihr Schwänzchen für ein amüsantes fremdes Lebewesen.

Dabei war sie gut, ach *wie* gut! «Zweimal gut ist dumm», geht ein Sprichwort. Bamba war zwei- und drei- und zehnmal gut und hielt auch ihre Umwelt dafür.

Eines Morgens fand ich sie in begeistertem Spiel mit einem Skorpion. Immer wieder warf ihr weiches Schnäuzchen den giftigen Kerl in die Luft. Sie bebte vor Entzücken und nahm es mir übel, daß ich sie wegriß und den Skorpion zertrat. Noch seine Reste wollte sie auflecken.

Alles schien ihr gut: die Treppe, von der sie hinunterkollerte, der Wassereimer, in dem sie beinahe ertrank, und die Katze, von der sie zunächst zwei Backpfeifen bekam. Mit meiner Katze hatte sie übrigens recht. Die erbarmte sich der mutterlosen Kleinen und tat manches für ihre Erziehung. Einmal brachte sie ihr eine lebende Maus, machte ein Müffchen und beobachtete aufmerksam, wie Bamba mit der Maus spielte. Haschte Bamba die Maus, schnurrte die Katze befriedigt; entwischte die Maus – und das gelang ihr zumeist –, holte die Katze sie wieder heran. Es war eine richtige Lektion, und sie endete erst, als Bamba eine Biene noch liebenswerter fand. Verdrießlich strich die Katze ab, während Bamba, beglückt wedelnd, die Biene zwischen beiden Vorderpfoten hielt.

Seltsamerweise stach die Biene sie so wenig wie der Skorpion.

Kleine Hunde haben Schutzengel wie kleine Kinder. Blieben sie sonst am Leben, die Vertrauensseligen?

*

Die Hund-Katze-Beziehung ist oft beschrieben worden. Manche Beobachter deuten sie als Erbfeindschaft, andere berichten von so enger Kameradschaft, daß die Katze ihrem Hundefreund bei Beißereien sekundiert.

Solche Extreme habe ich an meinen Tieren nicht beobachtet. Meine Erfahrung ist anders: die Hunde, die ich aufzog, nahten sich arglos der ersten Katze, der sie begegneten. Deren quicke Bewegungen – das Aufbaumen zumal – erstaunte sie mehr, als daß es sie erzürnte. Fliehende Katzen verfolgten sie mit dem freudigen Stolz, mit dem ein junger Hund alles verfolgt, was vor ihm herläuft – sei es Katze oder Mensch oder ein hingeworfener Stein. Nach meiner Beobachtung will ein junger Hund mit der Katze spielen. Erst ihre Krallenhiebe wecken seine Feindschaft gegen das ganze Katzengeschlecht; denn erlittenes Unrecht vergißt ein Hund kaum je.

Gänzlich verschieden aber benimmt sich eine junge Katze bei ihrer ersten Begegnung mit einem Hund. Ein winziges Kätzchen, eine Handvoll Kätzchen nur (die herbeieilende Besitzerin versicherte mir, es habe das Haus zum ersten Male verlassen), erblickte Rio, der neben mir hertrottete, ohne ihrer gewahr zu werden. Sogleich sträubte sich ihr Fell, krümmte sich ihr Rücken, steilte sich, anschwellend, ihr Schwanz. Spuckend und zischend hüpfte sie auf dem Fleck. Ihre Herrin barg sie in den Armen und noch von dort fauchte und spuckte sie auf Rio hinab. Ähnliche Beobachtungen mit kleinen Katzen machte ich so oft, daß ich die sprichwörtliche Hund-Katze-Feindschaft für die einseitige Erbfeindschaft der Katze gegen den Hund halte.

Diese Annahme schien mir wichtig genug, sie unter schlüssigen Beweis zu stellen. Also entfernte ich einmal meine Katze Maja von ihren Jungen und brachte Bamba heran. Als sie in den Katzenkorb schnüffelte, plusterten sich die *noch blinden* Kleinen zu zischenden Bällen auf.

Einige Wochen später warf Bamba zum ersten Male, und ich machte die Gegenprobe, indem ich nun sie entfernte und die Katze zu den Hündchen brachte.

Die Welpen hatten dünn pfeifend nach ihrer Mutter gerufen. Als sie die Wärme der Katze spürten, beruhigten sie sich sogleich. Die Gegenprobe stimmte: an der Feindschaft ist die Katze schuld.

Hunde verallgemeinern. Seit Rio von einem schottischen Schäferhund gebissen wurde, knurrt er jeden schottischen Schäferhund an; seit Bamba von einem Lausbuben mißhandelt wurde, geht sie allen Kindern aus dem Weg. Der erste Krallenhieb, den ein argloser Junghund von einer Katze bezieht, macht ihm ihr ganzes Geschlecht verdächtig.

Es mag Ausnahmen geben (ich kenne sie nicht aus eigener Erfahrung), Fälle, in denen eine vertrauende Katze von einem Hund gebissen wird, oder Perversionen, in denen sich Katzen zeitlebens Hunden befreunden. Was ich feststellen wollte, weil ich es noch nirgendwo vermerkt fand, ist die *Regel*, daß die Hund-Katze-Feindschaft auf einer angeborenen Feindschaft der Katze gegen den Hund beruht, während der Hund keine Feindschaft gegen die Katze ins Leben mitbringt. Unvernünftig hetzende Menschen erziehen sie ihm manchmal, Katzenkrallen erziehen sie ihm meistens an. In der Erbanlage des Hundes aber ist sie nicht begründet.

Rio und Bamba im besondern hetzen Katzen, seit sie von ihnen gekrallt wurden, sind aber recht vorsichtig gegen Katzen geworden, die, statt zu flüchten, fauchen. Mit der Hauskatze haben sie sich abgefunden wie mit dem Staubsauger. Beiden ist nicht zu trauen, aber sie gehören nun einmal zum Hause.

Krisen ergeben sich nur des Fressens wegen, denn Rio und Bamba sind ehrlich, während die Katze stiehlt.

Als Maja einmal auf den Küchentisch sprang, um ein Stück des Fleisches zu ergattern, das für die Tiere zubereitet werden sollte, hätte Rio sie beinahe umgebracht. Die Wirtschafterin hatte Mühe, sie zu schützen. Als ich ihn schalt, brummte er zurück, als wollte er einwenden: das Fleisch ist doch für *alle !*

*

Doch nun zurück zu Bamba. Und da wir gerade beim Fleisch und damit beim Fressen waren: was ein kleiner Hund so zusammenfrißt, macht es für sich zum

Wunder, daß er am Leben bleibt. Bamba hatte alles zum Fressen lieb, was ihr nahe kam. Ihre nadelspitzen Zähnchen knabberten an Rio, an der Katze und am Metall des Freßnapfs; sie fraß Gras und Nachtschatten und Zahnpaste und ihre Steppdecke. Eine Zeitlang pflegte sie rosa Watte von sich zu geben, ein andermal, als sie ihre Schlafkiste fraß, Holzwolle. Einer ausgewachsenen Palme nagte sie, so hoch sie reichen konnte, rundum den Bast ab, und das Heidschnuckenfell vor meinem Bett hat sie richtig rasiert. Um Wurmpillen – die man Rio nur mit roher Kraft einzwängen konnte – riß sie sich geradezu. Ihre Annahme, alles sei gut, verleitete sie zu dem Schluß, daß auch alles gut schmecke. Sie war wie der weiße Elefant, von dem Mark Twain schreibt: «Er fraß Bibeln, Menschen und alles, was zwischen Bibeln und Menschen liegt.» Wie gern hätte sie Menschen gefressen, wenn sie das nur irgendwie hätte bewerkstelligen können! Menschen sind doch das Allerbeste! Vor Menschen wedelte sie nicht nur mit dem Schwänzchen, sondern auch mit dem rosa gescheckten Bäuchlein und dem dicken Köpfchen. Immer wieder versuchte sie, die Menschen anzuknabbern, ihre Schuhe wenigstens (obzwar ihr die nur allzu oft weh taten), die Hände, die sie streichelten.

Meist hörten die Hände bald auf zu streicheln, weil Bamba sich auch in anderer Beziehung auf den Menschen verströmte, der sie liebkoste. Stubenrein wurde sie bald, menschenrein erst nach sechs Monaten.

Ein junger Hund ist rührend in seinem Glauben an die Menschen.

Erst nach etwa sechs Monaten hat er seine Enttäuschungen gesammelt, als da sind: Schelte, Leinenführung oder gar Schläge. Im grenzenlosen Meer seines Vertrauens hebt schmerzliche Erfahrung Inseln des Mißtrauens hoch. Türen sind nicht gut, sie klemmen; Patsy ist nicht gut, sie beißt; Seife ist nicht gut, es wird einem schlecht danach; nicht einmal alle Menschen sind gut, manche schlagen.

Es stimmt melancholisch zu beobachten, wie in einem jungen Hund immer breitere harte Klippen des Mißtrauens die weite warme See des Vertrauens eindämmen. Schon nach einem Jahr war Bambas Vertrauen in die Allgüte des Universums auf ganz wenige Wesen zusammengeschrumpft: auf mich vor allem und auf Rio, der sich mit einer ihm sonst fremden Geduld von ihr zausen ließ.

Wie Binnenseen verbleiben solche Stellen unlotbar tiefen Vertrauens in der Seele des Hundes.

Doch tiefer noch und hingebender als ein Hund, liebt eine Hündin das Letzte, das ihr zu lieben übrig bleibt. So geisterhaft tief vermag sie zu lieben, daß sie selbst die Hand, die ihre Jungen tötet, weiterliebt, wenn es die Hand ihres Herrn ist.

Rio liebt mich, wie man es von einem guten Hund erwarten darf – Bamba vergöttert mich.

Die Beziehung einer Hündin zu einem Mann und die eines Hundes zu einer Frau ist in der Regel herzlicher als die eines Hundes zu einem Mann oder die einer Hündin zu einer Frau. Wahrscheinlich verstärkt die Anziehungskraft der Geschlechter auch die Mensch-Hund-Beziehung so unterbewußt doch wirksam, wie in unseren Familien meist eine Tochter des Vaters und ein Sohn der Mutter Liebling ist.

Dieser Fingerzeig sollte bei der Wahl eines Hundekameraden beachtet werden. «Ein Hund, der keine Hündin ist, ist kein Hund», heißt es deshalb in Albanien.

Hinzu kommt, daß eine Hündin ihren Menschen auch aus mütterlichem Instinkt liebt.

Schließlich kann sich eine Hündin gründlicher auf ihren Menschen konzentrieren, weil sie seltener als ein Rüde vom Geschlechtstrieb abgelenkt wird.

Der Hund liebt seinen Herrn, die Hündin betet ihn an.

Im zweiten Lebensjahr verhärtete sich Bambas Mißtrauen gegen die Mehrheit ihrer Umwelt bis zur Feindseligkeit. Schärfer als Rio bewacht nun sie das Haus, und ihr gellendes Kläffen warnt zuerst vor Fremden. Was fremd ist, gilt ihr nun als verdächtig. Wo sind die Zeiten, da sie beglückt jedem Menschen, ja jeder Eidechse entgegenwatschelte? Jetzt lauert sie Eidechsen auf, um sie zu töten. Doch in ihrem Argwohn liegen wie zwischen Tatra-Fels unlotbar tiefe Meeraugen des Vertrauens. Die bedürfen keines Zuflusses mehr, und keine Enttäuschung trocknet sie aus. Es reicht nicht hin zu sagen, daß Bamba ihr

Leben für mich hingäbe. Man müßte dazu noch annehmen, daß ihre Furcht vor dem Tode der unseren entspräche. Selbst unter dieser Voraussetzung würde Bamba ihr Leben opfern, nicht nur, um das meine zu retten, sondern einfach, um mir gefällig zu sein.

Komme ich abends heim, klopft ihr Herz fast beängstigend heftig gegen meine streichelnde Hand. Ihr Glück ist so groß, daß sie sich nicht mehr auf den Beinen halten kann, sondern auf dem Bauch über die harten Gartensteine vor mir herkriecht. *Augen* hat das Tier, daß man sich fast schämt, so geliebt zu werden.

Ach, diese Augen! Wer doch den Blick ihrer feuchten braunen Wölbungen beschreiben könnte, ihre Zärtlichkeit, ihre anbetende Hingabe! Welch übermenschliche Güte entstrahlt ihren rätselhaften Tiefen! Das sind zwei Sender der Liebe, auf uns und nur uns abgestimmt: diese schwarzen Pupillen, diese goldbraune Iris, diese milchweiß ins Bläuliche schimmernde Hornhaut des Wesens, das uns zutiefst liebt...

Ach, Bamba, liebe Bamba! Zu welchem Pathos versteige ich mich, um deine Augen zu schildern, und dennoch bleibt die Sprache ärmer als die Liebe, die sie verströmen.

*

Als Bamba im dritten Jahre war, ließ ich sie von Rio decken. Daß ich Rio zum Vater ihres Wurfes wählte, mag manchen überraschen, der sich gemerkt hat, daß Rio auch ihr Vater ist. Es überrascht jedoch nur den, der Normen menschlicher Moral aufs Tierleben überträgt. Den Begriff der Blutschande kennt weder das frei lebende Tier, noch wendet ihn der Züchter beim Haustier an. Im Hühnerhof deckt der Hahn auch die Hennen, die er gezeugt hat, und dem Deckstier eines Dorfes werden auch seine Töchter zugeführt. Deshalb befolgte ich den Rat des Tierarztes, Bamba zum erstenmal von ihrem Vater decken zu lassen, weil sie an ihn gewohnt sei, und ihre Munterkeit mit seinem Phlegma einen erwünschten Temperamentausgleich bei den Jungen erhoffen ließe.

In Locarno bin ich an den besten Tierarzt geraten, dem ich je begegnet bin. Er ist grob zu Menschen und sanft zu Tieren – so sanft in der Tat, daß er es manchmal nicht übers Herz bringt, einen minderwertigen Hund zu töten, den man ihm zu diesem Zweck überliefert hat. Lange Zeit begleiteten ihn eine basedowkranke Bulldogge und eine fettsüchtige Foxterrierhündin. Erst der herzlose Hundetöter Automobil hat die beiden abgetan.

Dieser Tierarzt hat Rio von der schmerzhaften Ohreneiterung geheilt, von der schlappohrige Hunde leider häufig heimgesucht werden. Dabei mußte er ihm die Ohrengänge säubern, und Rio winselte erbärmlich. «Er wird mich nicht mehr leiden mögen», befürchtete der Tierarzt mit einer Zartheit, mit der ich ihn sonst nicht sprechen gehört hatte – denn mit Menschen spricht er eher rauh. Hierin aber irrte er; Rio liebt ihn weiter mit dem untrüglichen Instinkt des Hundes für den, der ihm wohlwill.

Es gibt, namentlich in Großstädten, Tierärzte, die dem Menschen nach dem Munde reden, während ihnen das Tier im Grunde gleichgültig ist. So einer behandelte in Berlin meinen Wachtelhund. Der Hund mochte ihn nicht, obwohl ihm der Tierarzt wie eine alte Tante schmeichelte. Zu ihm mußte ich den Hund die Treppe hinauftragen; an der Leine sperrte er sich verzweifelt. Zum hiesigen Tierarzt aber läuft mir Rio freudig voran trotz Ohrenputzen, Wurmpillen und derbem Insfellpacken.

Besagter Tierarzt also hatte mir in seiner knurrigen Art geraten, Bamba von ihrem Vater Rio decken zu lassen.

In jenen Tagen war Rio so verliebt in Bamba, daß ich bei Spaziergängen entweder beide mitnehmen oder beide zu Hause lassen mußte; er sträubte sich, sie allein zu lassen, und sie gab ihm darin nichts nach.

Eine Woche vor dem Wurf aber änderte sie ihr Benehmen.

Je näher ihre schwere Stunde heranrückte, umso länger saß die sonst quecksilbrige kleine Hündin still da, mit schräg gestelltem Kopf ins Leere starrend, als lausche sie aufmerksam und ein wenig ängstlich in sich hinein.

Noch bevor die Jungen zur Welt kamen, erwachte in Bamba die mütterliche Sorge und wandelte sie seltsam.

Sie, die ihre Zärtlichkeit auf immer weniger Wesen beschränkt und sich von den übrigen mit mißtrauischem Knurren distanziert hatte, schien sich wieder zur Vertrauensseligkeit ihrer frühen Jugend zurückzufinden. Jeden, der ins

Haus kam, umschmeichelte sie. Uns, die ihr ständig nahe waren, drängte sie ihre Zärtlichkeit unablässig auf.

Mit *einer* Ausnahme freilich: Rio, den sie früher in besonderem Maße geliebt hatte, war ihr, seit sie sich Mutter fühlte, verdächtig geworden. Immer deutlicher zeigte sie ihm Argwohn. Sie hörte auf, mit ihm zu spielen, sie fraß nur, wenn ich ihren Napf weit von dem seinen abrückte, sie knurrte ihn an, und wenn er ihr dennoch näher kam, schnappte sie nach ihm. Derart erreichte sie, daß er ihr immer weiter aus dem Wege ging. Das schien auch der Zweck dieser einzigen Trächtigkeits-Feindschaft zu sein, die ihrem immer unterwürfigeren Benehmen gegen Menschen auffällig widersprach.

Uns Menschen wußte sie ihre Jungen auf Gnade und Ungnade ausgeliefert; also bemühte sie sich, uns gnädig zu stimmen. Ein Hundevater aber benimmt sich gegen die Jungen bestenfalls gleichgültig; ist er hungrig, soll es vorkommen, daß er sie auffrißt. Demnach war es ratsam, ihm Angst einzujagen.

In trübem Unverständnis entzog sich Rio ihrer Feindseligkeit. Seit ihr Leib anschwoll und die früher unscheinbaren Brustwarzen wie dicke, die Spannung kaum mehr bändigende Druckknöpfe hervortraten, war freilich auch sie ihm fremder geworden; immerhin verblieb er bei einem gemessenen halben Wedler, wenn er ihrer ansichtig wurde. Erst als sie ihn biß, mied er ihre Gesellschaft.

Nachdem sie geworfen hatte, wollte er sich ihr wieder anbiedern. Das aber bekam ihm schlecht.

Ich hatte Bambas Wochenbett im Badezimmer hergerichtet. Unser Kaufmann hatte dafür eine Kiste gespendet, unser Schreiner Holzwolle und eine Nachbarin alte Laken. Von ihrer liebeheischenden Jugend her ist Bamba in der Nachbarschaft beliebt.

Auf ihrem Lager stöhnte sie in den Wehen, während sich ihre schreckhaft aufgerissenen Augen hilfesuchend auf mich richteten, der ihr doch nicht helfen konnte. Länger als zwei Stunden plagte sie sich, drei Junge zur Welt zu bringen. Endlich hatte sie das dritte aus der durchsichtigen, geäderten Blase gebeutelt und war eben dabei, das glitschige Kleine mit überströmender Zärtlichkeit zu belecken – als Rio seine weiß umzottelte schwarze Schnauze durch den Türspalt schob.

Im Nu wandelte sich ihre mütterliche Inbrunst in megärenhafte Wut. War das dasselbe Tier, das eben noch zitternd auf seinem Schmerzenslager gekauert hatte? Mit einemmal stand da, wie auf Draht gespannt, eine angriffige kleine Bestie, das Nackenhaar borstig gesträubt, die Lefzen hochgezogen, daß die geblichen Eckzähne gefährlich bloßlagen. Aus dem halb geöffneten Maul röchelte es böse. Ich verargte es Rio nicht, daß er seinen Dickkopf schleunig zurückzog und mit unwürdiger Hast die Treppe hinunterpolterte. War ich doch selbst vor dem wütenden Tier so erschrocken, daß ich mich nahe der Tür fand, als Bamba schon wieder in sich zusammengesunken war. Mit zärtlicher Vorsicht ein Bein ums andere über die Jungen hebend, legte sie sich erschöpft nieder.

Wie sehr sie mich liebt, sah ich daran, daß sie mich, zwar flehenden Blicks, doch ohne Abwehr, ein Junges ums andere in die Hand nehmen und betrachten ließ. Es waren zwei Hündinnen und ein Rüde, blind, rattenhaft, aber schon piepsend und mit den Beinchen strampelnd, die wie Anhängsel an den wurstförmigen Leiblein saßen. Rosige Mäulchen öffneten sich und stießen in kurzen Rucken nach unsichtbaren Zitzen vor. Weiße, weiche, erst nachlässig modellierte Körperchen, kurz vorher noch dem Blutkreislauf der Hündin zugehörig wie Organe: doch nun gesonderte Lebewesen, ihrer Mutter nurmehr durch seelische Stränge verbunden, durch die mystische Nabelschnur der Mutterliebe.

Wie zutraulich und wie argwöhnisch, wie zärtlich und wie praktisch, mit *einem* Worte, wie kompliziert Mutterschaft ist: die kleine Sealyham-Hündin Bamba hatte mir darin eben eine Lektion erteilt.

Nun lag sie mit halb gebrochenen Augen matt schnaufend da, als ginge es mit ihr zu Ende. Dünn pfeifend umzappelten sie die blinden Kleinen, ohne die Zitzen zu finden.

Hatte ich auch nichts verabsäumt? Ich telephonierte dem Tierarzt und überhäufte ihn mit Fragen.

«Hat sie die Jungen beleckt?» fragte er kurz zurück.

«Das hat sie», bestätigte ich, «aber...»

«Dann ist alles in Ordnung», schnitt er mir die Rede ab, «nächste Woche komme ich zum Kupieren.»

«Kommen Sie lieber gleich», bat ich, «sie ist so matt!»

«Wenn *Sie* Junge kriegten, wären Sie auch matt», bemerkte er unwirsch. «Jetzt muß ich eine Kuh entbinden, die es nötiger hat.»

So ist dieser Tierarzt. Er spürt auf Distanz, ob ihn ein Tier braucht, und Bamba brauchte ihn wirklich nicht.

Als ich vom Telephon ins Badezimmer zurückgelaufen war, saß sie schon aufrecht in ihrer Kiste und an ihren geschwellten Brüsten saugten die Kleinen. Mit einem Blick, den ich hold nennen möchte, wenn dieses Beiwort für einen Tierblick zulässig wäre, und der gewiß in Glück schwamm, betrachteten ihre goldbraunen Augen die Jungen, die sich ihrem Leib saugend wiederverbunden hatten. So inbrünstig vertieft war sie in ihr Glück, daß sie mich nicht zu bemerken und nicht einmal meine Hand zu fühlen schien, die sie streichelte.

Ihre unbedingte Konzentration auf die Jungen dauerte eine volle Woche. Während sieben Tagen verließ sie ihr Kindbett kein einzigesmal freiwillig. Sie ließ den Milchnapf, der neben der Kiste stand, unberührt, um nicht *ihre* Milch den Jungen zu entziehen. Ich mußte sie in der Kiste füttern, und ich mußte sie aus der Kiste in den Garten tragen, damit sie ihre Leibesfunktionen verrichtete. Kaum war das geschehen, als sie auch schon in Galoppsprüngen die Treppe ins Badezimmer hochfegte und – mit einemmal behutsam, damit sie kein Kleines drücke – in ihre Kiste zurückstieg.

In jener ersten mütterlichen Woche schien sie alles vergessen zu haben, was ihr sonst Freude gemacht hatte: Spazierengehen und Spielen und Knochen und aufs Sofa-Springen. Nicht einmal Schokolade lockte sie mehr. Legte ich ein Praliné – *wie* hatte sie früher darum gebettelt! – neben ihre Kiste, beachtete sie es so wenig, als sei es ein Kiesel. Schob ich es ihr ins Maul, schluckte sie es, ohne sich auch nur die Schnauze abzulecken. Unvergeßlich süßer erschienen ihr die Jungen, die sie, mit leiser Bevorzugung des fetten kleinen Rüden, unablässig beleckte.

Sie hielt sie mit der Zunge sauber, daß sie glänzten, während sie, zerzaust und schmutzig, die eigene Körperpflege einstellte. In einer Woche habe ich sie nicht *ein*mal ihr Fell kratzen gesehen. Die Umwelt einschließlich ihres Körpers schien ihr entschwunden. Geblieben waren einzig die drei blinden saugenden Leiblein der Welpen: das weiße fette des Rüden, der die ergiebigste Zitze erbeutet hatte, das dünnere der kleinen Hündin mit der schwarzen Schabracke im Weißfell und die letztgeborene Kleinste mit dem schwarzen Brillenfleck über den blinden Augenspalten. Außerhalb der Kiste begann ein fremder Planet. Wehe dem Fremdling, den er entsandte!

Rio traute sich nach der ersten Abfuhr nicht mehr heran. Die Hauskatze aber hielt eine Kindbett-Visite für schicklich. Als sie schnurrend heranstrich, sah sie sich einem Springteufel gegenüber. In gleicher Lage erfahren, nahm sie das wütende Schnappen aus dem Kisteninnern nicht weiter übel, sondern entfernte sich gemächlich schleichend. Ihrer Anstandspflicht hatte sie genügt, und wenn die Frau Wöchnerin übelnehmerisch war, hielt sie das ihrem Zustand zugute.

In jener Woche, in der Bambas Welt auf drei hilflose Körperchen zusammengeschrumpft war, geschah nach oberflächlicher Menschenmeinung nicht mehr, als daß die Welpen größer und fetter wurden. Aus Bambas Perspektive aber geschah außerordentlich viel. Aus nachlässig geformten Lebewesen, die bei ihrer Geburt noch Embryonen geähnelt hatten, waren schon beinahe Hunde geworden. Scharf zeichneten sich am Ende der Woche Fußballen und Krallen ab; die erst aufstehenden Öhrchen waren so schlapp geworden, wie es Sealyham-Ohren geziemt; Bauch setzte sich schärfer von Brust, Kopf von Hals ab. Am dritten Tage gähnte die Schabrackenhündin, am vierten knurrte ihr Schwesterchen, am sechsten bellte der kleine Rüde einen traumhaft hellen, kurzen Beller. Die Köpfchen wuchsen, bis die erst unförmig dicken Schnauzen – ein neugeborener Sealyham sieht aus wie ein winziges Nilpferd – einigermaßen ins Verhältnis zum Schädel kamen. Die Beine hatten gelernt, ungestüm an den Zitzen zu pumpen.

Tolstoi vermerkt, daß ein Mensch als Säugling größere Fortschritte macht als in all den Jahren hernach bis zu seinem Tode. Das trifft auch auf Hunde zu.

Bambas Junge machten in der Woche, in der sie plumpen Augen nur größer und fetter zu werden schienen, die ungestümsten Fortschritte ihres Lebens.

Mit dem Abschluß der ersten Woche hielt Bamba die entscheidende Etappe für beendet. Zögernd erst, doch immer bereitwilliger reagierte sie wieder auf die Welt außerhalb der Kiste. Sie hörte nicht auf, ihre Jungen zu betreuen, aber sie tat es nicht mehr ausschließlich. Sie kam wieder zu meinen Mahlzeiten und blieb immer länger; sie bewachte wieder das Haus; sie ließ die Kleinen nicht mehr saugen, wann sie wollten, sondern wann sie selbst es für richtig hielt.

Hatten die Jungen in der ersten Woche Bambas Leben gänzlich ausgefüllt, so entdeckte sie nun die geliebten und feindseligen Bezirke wieder, die ihr entschwunden waren.

Interessanter als das Erwachen der Welpen erschien mir, der in ihr blindes Innenleben nicht einzudringen vermochte, das Wiedererwachen ihrer Mutter.

Am achten Tag kam der Tierarzt, um die Kleinen zu kupieren. Ich halte das Stutzen gewisser Hunderassen an Schwänzen und Ohren – den Sealyhams müssen nur die Schwänze gekürzt werden – für einen so barbarischen Unfug wie das Durchstechen der Ohrläppchen bei Mädchen. Besäße ich aber ein Töchterchen, würde ich ihr dennoch die Ohren durchstechen lassen, und da ich Sealyhams besitze, lasse ich ihnen die Schwänze kupieren. So unkonsequent sind Menschen. Hunde handeln geradlinig. Selbst wenn ich Bamba hätte begreiflich machen können, daß das Schwänzestutzen zu einem standesgemäßen Fortkommen ihrer Kinder notwendig war, hätte sie ihre Einwilligung versagt. Den Tierarzt kennt und schätzt sie, aber schon als er ihre Jungen streichelte, drängte sie ihre Schnauze zwischen sie und seine Hand.

Ich habe Bamba in den Garten getragen und bin bei ihr geblieben, weil auch ich nicht zusehen mochte. Bamba winselte, als wüßte sie, daß oben ihre Kleinen litten. Als der Tierarzt zurückkam, war sie nicht mehr zu halten und schoß die Treppen hinauf. Wir fanden sie verstört, mit blutbesudelter Schnauze über ihren Kleinen hockend, denen sie – des Jods nicht achtend – wie rasend die Wunden leckte. Mir sandte sie einen Blick zu, der weh tat: den Blick getäuschten Vertrauens.

Den Tag verließ sie ihre Kleinen nicht; sie litt schwerer als diese, die sich schon wieder ans Saugen gemacht hatten. Man *darf* sie eben nicht allein lassen! schien ihr Gehaben auszudrücken.

Am zwölften Tag drang die Außenwelt zu den Welpen ein. Als ich sie frühmorgens besah, hatten sich bei der Kleinen mit dem Schabrackenfleck die inneren Augenwinkel gelöst; beidseits schimmerte bläulich die Hornhaut durch. Abends waren ihre Augen offen: wässerig falbe, schmal geschlitzte Äuglein. Erst viel später dunkelten sie zum golden flimmernden tiefen Topasbraun nach. Nächsten Tags war die zweite kleine Hündin sehend geworden, und wieder einen Tag später erwachte der dicke kleine Rüde zum Licht. Die Augen öffneten sich langsam vom Nasenwinkel her. Der Mutter Zunge, die sonst die Kleinen am ganzen Körper beleckte, vermied die sich öffnenden Augen.

Mag sein, daß Eifersucht die Mutter abhielt, einen Vorgang zu beschleunigen, der ihren Kindern eine Umwelt außer ihr erwies...

*

Sich Tag für Tag neues Terrain erschließend und neue Fertigkeiten aneignend, sind Bambas Hündchen nun zwei Monate alt geworden. Jetzt gehört ihnen schon der ganze Garten, dessen Treppen sie erklimmen und hinunterpurzeln, und das ganze Haus, sofern die Zimmertüren offen bleiben (was leider immer wieder vorkommt). Sie können schon fressen – und zwar alles: Brei, Stuhlbeine, Chrysanthemen, Koks, Bettvorleger und Leitungsschnüre. Sie können schon knurren und bellen und sich in der Kompostgrube wälzen, sie können Schnürsenkel aufziehen (der kleine Rüde spezialisiert darin), Haschen spielen, sich an Hosenbeine hängen, Löcher in Beete graben oder in Strümpfe kratzen (ihre Krallen sind so nadelspitz wie ihre Zähne). Auch miteinander raufen können sie schon. Am besten aber können sie Pfützen machen. Beständig muß die Wirtschafterin mit dem Wischtuch hinter ihnen herlaufen. Schon deshalb mußte ich die Kleinen verkaufen. Oder doch wenigstens verschenken. Sie zu verkaufen, war nämlich schwieriger, als ich zunächst angenommen hatte.

Ich hatte erwartet, um Sealyham-Hündchen solcher Abstammung würden die

Käufer Schlange stehen. Drei englische Champions im väterlichen und drei englische nebst einem österreichischen im mütterlichen Stammbaum!

Unverzüglich hatte ich den Wurf ins kynologische Stammbuch der Schweiz eintragen lassen und für Eintragung, Auszug aus dem Stammbuch, Abstempelung, Kontrolle und Formulare vierundvierzig Franken bezahlt. Den Tierarzt hinzugerechnet, der die Kleinen kupierte (er schickt mir zwar nie eine Rechnung, aber was geht das den Käufer an?), die Kost (Mutter Bamba schlemmte, während sie stillte, feinsten Schweizer Kakao) und die Mühe (von den Hosenbeinen, Chrysanthemen, Strümpfen, Stuhlbeinen, Bettvorlegern und den Leitungsschnüren wußte ich damals noch nichts): konnte ich gut und gern zweihundertfünfzig Franken für den Rüden und je zweihundert für die Hündinnen verlangen.

Nun, verlangen konnte ich allerdings so viel, aber ich fand niemanden, der es mir auch bezahlt hätte.

Zunächst empfahl ich meinen Bekannten, die Gelegenheit wahrzunehmen. Ein hundeliebender Kondukteur der Locarneser Drahtseilbahn verstieg sich bis zu einem Angebot von fünf Franken. Ein altes Fräulein hingegen, das schüchtern aber zähe auf einer Million Franken sitzt, erklärte sich nur bereit, ein Junges zu übernehmen, ohne daß *ich* ihr dafür zahle («aber erst, wenn es zimmerrein ist!»). Das war das Fazit meiner persönlichen Werbung.

Enttäuscht erbat ich den Rat eines geschulten Reklameberaters. Der verfaßte ein Inserat, das jedem Hundefreund den Mund wässerig machen mußte. Es erschien in Zürich, in Locarno und in Bellinzona und kostete viele Franken. Aus Zürich kam eine telephonische Anfrage nach dem Preis, doch wurde das Gespräch jäh unterbrochen als ich ihn nannte; aus Locarno kamen drei Damen, welche die Hündchen «herzig» nannten und nichts mehr von sich hören ließen; aus Bellinzona schließlich kam eine telephonische Anfrage, was «Sealyhams» eigentlich seien. Als ich erwiderte, daß es kurzbeinige, schlappohrige Terrier seien, die Lieblingshunde des Königs von England und die treuesten, tapfersten und drolligsten Kameraden, die man sich nur wünschen könne, rief der anonyme Sprecher freudig: «Also *Hunde* sind es! Dann habe ich meine Wette gewonnen», und hängte ab.

Inzwischen wuchsen «Bumbo», «Bamba» und «Bimba» munter nagend und nässend heran, und meine Wirtschafterin ersuchte mich, ihr ein Paar Finken zu bezahlen, weil Bimba den linken angefressen habe.

«Den *linken*?» staunte ich, «wo halten Sie denn Finken?»

Anhand des Objekts erwies sich, daß sie ihre Finken ordnungsgemäß unterm Bett hielt, weil nämlich «Finken» im Schweizer Sprachgebrauch nicht nur die Singvogelfamilie der Fringillidae, sondern auch Filzpantoffeln umfassen.

Ich bezahlte die Finken und schenkte sie Bimba. Die aber war schon über Filz hinaus und bevorzugte meine nahrhafteren Nagelschuhe, die ich zum Trocknen an den Küchenherd gestellt hatte.

Wenn die Wirtschafterin etwas, was die Hündchen fressen könnten (und was könnten sie *nicht* fressen!), auf den Küchenboden stellt, zanke ich; denn er ist den Hündchen reserviert. Als ich aber meine Bergsteiger, die ich sehr schätze, von Bimba angenagt fand, während der brave Bumbo nur an ihren Riemen zerrte, mußte ich sie auch noch verstecken, denn meine Wirtschafterin hat Sinn für Ironie.

Die drei *müssen* aus dem Haus! schwur ich mir verzweifelt; sie untergraben meine Autorität! (Auch das Polyantharosen-Beet hatten sie inzwischen untergraben wie Wühlmäuse.) Außerdem fallen sie ihren Eltern zur Last. Rio geht ihnen aus dem Weg, weil sie an ihm zu saugen versuchen, was seinen männlichen Stolz beleidigt, und der Mutter Bamba haben sie die Zitzen schon so zerbissen, daß das arme Geschöpf kaum mehr einen Ausweg zwischen Schmerz und Mutterliebe findet.

Also kehrte ich zu meinem Reklameberater zurück und inserierte nochmals. Diesmal in Zürich und Basel, was den Wert der Hündchen um viele weitere Franken anschwellen ließ. Dessen ungeachtet deutete ich im Inserat an, daß ich meine Ansprüche hinabgeschraubt hätte, denn ich bezeichnete die Welpen als «Okkasion».

Inzwischen hatte ich nämlich erkannt, daß sie ein fressendes Kapital waren. Solange sie noch rattenklein an der Mutterbrust sogen, hatte ich sie für rentabel gehalten. Seit sie aber, feist und dreist, als kleine Sealyhams herumstrolchen, belasten sie meinen Etat bedenklich. Schreiner, Schneider, Zimmermaler, Milchmann, Schuster, so ziemlich alle Lieferanten außer dem Glaser – halt, nun auch der Glaser! Bomba hat *doch* eine Mistbeetscheibe eingedrückt! – profitieren von ihnen, während ich weiter als je davon entfernt bin, auch nur meine Selbstkosten hereinzubekommen.

Das einzige ernsthafte Angebot, das mir meine zweite Anzeige einbrachte, ist in einem fruchtlosen Briefwechsel versandet.

Ein Zürcher Advokat wollte Bumbo kaufen, vorausgesetzt, daß dieser exotischen Vögeln nichts zu leide täte. Wahrheitsgemäß erwiderte ich, daß Bumbos Eltern noch keinen Vogel getötet hätten, und die Vererbungslehre für **ihren** Sohn das gleiche erhoffen ließe.

Nun leben die Vögel meiner Umgebung in Freiheit, und kein Sealyham **kann** ihnen etwas anhaben. Wenn ich mir hingegen vorstelle, daß Bumbo im gleichen Raum mit Papageien lebt, möchte ich nicht für die Papageien bürgen. Namentlich nicht gegenüber einem Advokaten, der billiger prozessiert als ich. Vielleicht will der Sealyham nur mit den Papageien spielen, und die Papageien verstehen ihn nicht. Aber das erschien mir für einen Verkaufsbrief allzu weitläufig. Ich begnügte mich also mit der Bemerkung: «Man muß den Hund eben *erziehen*!»

Ein Freund habe ihn gerade hierin vor Sealyhams gewarnt, replizierte mißtrauisch der Advokat. Weshalb er denn gerade einen Sealyham wolle, fragte ich zurück. Weil seine Frau sich einen wünsche und zwar einen schneeweißen. «Bumbo *ist* schneeweiß,» beeilte ich mich zu versichern. «Weiß wie frisch gefallener Schnee, bis auf sein schwarzes Monokel.»

Von einem schwarzen Monokel sei bisher nicht die Rede gewesen, schrieb der Advokat verstimmt zurück; seine Frau wünsche sich einen *makellos* weißen. Ein makellos weißer Sealyham, gab ich ihm zu bedenken, sei ein minderwertiger Sealyham, der zu Triefaugen neige. Ich lehnte es ab, solch einen Abschaum zu verkaufen (außerdem hatte ich keinen).

Es schien fast, als fände sich der Advokat mit Bumbos Monokel ab, denn er begehrte nurmehr zu wissen, ob mein Sealyham ein ausdauernder Fußgänger sei. Ich berichtete mit Stolz, daß ich mit Bumbos Eltern achtundzwanzig Kilometer bergauf und bergab unterwegs gewesen war. (Tatsächlich hatten sie eine noch weitere Strecke zurückgelegt, weil sie nebenbei eine Ziegenherde von der Alp in den Wald gejagt hatten). Bumbo habe, nähme ich an, auch die rüstige Ausdauer seiner Eltern geerbt.

Der Advokat gegenfragte, was Sealyhams fräßen. Ich antwortete postwendend mit einem zweiseitigen genauen Rezept einschließlich Kalbsknochen, Schwefelblüte, Knoblauch und Lebertran, doch begreiflicherweise ausschließlich Chrysanthemen, Finken und Leitungsschnüren. Auch verschwieg ich, daß ein Hündchen von Zeit zu Zeit Wurmpillen und Rizinus benötigt, wenn es nicht Pakete Spulwürmer absetzen soll. Bei einem fremden Hündchen klingt das abstoßend. Besaß er Bumbo erst, würde es ihm Spaß machen.

«Nun *wird* er ihn kaufen!», frohlockte ich. «Er stellt schon sein Menu zusammen.» Aber frohlocke einer über Advokaten . . .

Er reise für einige Zeit ins Ausland, schrieb er, und hoffe, das Hündchen werde noch zu haben sein, wenn er zurückgekehrt sei.

Ich weiß nicht, ob er zurückgekehrt ist – gemeldet hat er sich nicht wieder.

Auf die Dauer demütigten mich diese Erfahrungen. Kinder von Rio und Bamba anbieten zu müßen wie saures Bier! Enkel des englischen Champions «Delf-Domino», dessen Photo in der feinsten englischen Hunde-Zeitschrift mit dem lakonischen Vermerk erschien: «FIVE GUINEAS FEE». – *Guineas* wohlgemerkt, nicht Pounds! Feine englische Hunde lassen sich, wie feine englische Schneider in Guineas bezahlen. Was denn «bezahlen»! *Honorieren* lassen sie sich, und wenn Delf-Domino bekanntgab, das er sich mit fünf Guineas fürs Decken honorieren ließ, zeigte seine Photo eine so gelangweilte Herablassung, als sei er im Begriff, sein schwarzes Monokel gähnend fallen zu lassen. Hoffentlich hat er nie erfahren, daß seine Enkel als Okkasion ausgeboten wurden.

Dabei hätte ich sie am liebsten behalten – aber *konnte* ich denn? Fünf Hunde und eine Katze in meinem kleinen Haus?

Nein, wirklich, das geht nicht! sagte ich mir. Die Pfützen müssen ein Ende nehmen, und als Tiernarr will ich auch nicht verschrieen werden. Fort müssen sie!

Der Gedanke, mich von ihnen zu trennen, fiel mir freilich immer schwerer. So liebe Tiere verschachern! Aber was half der Kummer? Hinaus *mußten* sie! Mein Haus war zu voll von ihnen, meine Zeit, mein Garten, mein Denken! Ich ging ihnen zwar aus dem Wege, doch sie hatten eine Taktik entwickelt, mich aufzuspüren und, vor Freude jaulend, zu überfallen, daß ich mich mit ihnen befassen mußte. Um meiner habhaft zu werden, schwänzten sie sogar die Gymnastikstunde, die ihnen Mutter Bamba pünktlich um acht Uhr morgens auf dem großen Rasenplatz erteilte. Während des Haschens, der Purzelbäume und der jagdmäßigen Läufe, in denen eine gewissenhafte Hundemutter ihre heranwachsenden Kinder unterweist, schielten sie ständig nach meiner Zimmertür. Öffnete sich die, stürzten sie stracks zu dritt herein, vorneweg die landmädchenhaft kräftige Bomba, weithin kenntlich an ihrer schwarzen Schabracke, hinter ihr der etwas fette Advokaturskandidat Bumbo und als Abschluß die zierliche Bimba, die am zärtlichsten schmeichelte.

Ein rührendes Bedürfnis nach dem Menschen äußert sich in Junghunden schon, wenn sie ihre Umwelt erst in groben Umrissen entdecken. Sie lieben ihn, selbst wenn er sie meidet.

Beim Fressen war ihr Instinkt noch unsicher, und ich mußte Bimba immer wieder von der Fingerhut-Staude verscheuchen, von deren Blättern ihr schon einmal übel geworden war; gegen Menschen aber war ihr Instinkt verläßlich. Telepathisch fühlten sie, wer sie gern hatte. Sie entliefen jeder Aufsicht, sobald sie meiner ansichtig wurden, obwohl ich sie am Nackenfell in die Küche zurücktrug. Auch deshalb mußte ich sie fortgeben, weil ich nur zwei Hände habe, und mir das dritte Hündchen immer wieder zulief, während ich die beiden andern forttrug. Ich kam mir vor wie der Fährmann, der einen Wolf, eine Ziege und einen Kohlkopf über den Fluß bringen soll; nur war mein Problem schwieriger. Wie oft quiekte ein Hündchen zwischen der hastig geschlossenen Tür! Das tut sehr weh, aber das Hündchen riskierte es immer wieder, wenn es ihm dafür nur *einmal* glückte, sich an mein Hosenbein zu hängen.

Nun gab es ja ein einfaches Mittel, mir die Plage und den Hündchen das Geklemmtwerden zu ersparen: einen buchstäblichen *Zwinger*.

Ein Drahtgehege ist das bequemste Mittel, Hunde großzuziehen. Berufsmäßige Hundezüchter bedienen sich seiner.

Ich aber mag nicht Hunde züchten, wie man Hühner züchtet. Ich bringe es nicht übers Herz, die Sehnsucht des Hundes nach dem Menschen hinterm Zaun verkümmern zu lassen. Hunde, die so aufwachsen, finden kaum mehr dieselbe Beziehung zum Menschen wie Hunde, die Pantoffeln gefressen und zwischen Türen gequiekt haben. Streuner, Kalfakter, Diebe und Beißer sind meist hinterm Drahtzaun aufgewachsen. Als Hetzhunde oder Nachtwächter mögen sie ihren Gebrauchszweck erfüllen. Ein Hund aber, der zum Freund bestimmt ist, soll sich schon als Welpe mit seinem Menschen befreunden, und Freunde sperrt man nicht hinter Gitter.

Freilich kommt es auch bei der Hundezucht mehr auf das Wie als auf das Was an. Welpen mögen im Hause verzärtelt oder brutalisiert werden, aber in einem verständig überwachten Gehege rechte Beziehung zum Menschen finden. Nicht von Zwinger oder Zimmer hängt die Entwicklung ihres Charakters ab, sondern davon, ob sie möglichst früh Verkehr mit einem Menschen haben, der ihnen zugetan ist. Dafür nun ist das Haus meist geeigneter als der Käfig.

Hundezucht und Kindererziehung haben manches gemeinsam.

Es gibt gute, es gibt schematische und es gibt nachteilige Kinderheime. Bequeme Eltern vertrauen ihnen die Kleinen ohne weitere Prüfung, gewissenhaftere erst nach genauer Erkundigung an. Die meisten aber behalten ihre Kinder zu Hause, und die, meine ich, erziehen sie am besten.

Diktatoren züchten Menschen lieblos nach dem Gebrauchswert und wenden deshalb für Kinder das Zwingersystem an.

Sie erziehen gierige Hetzmeuten und bissige Kettenhunde.

Wie es der Welt ergeht, auf die sie losgelassen werden, wissen wir...

*

Um Bumbo, Bomba und Bimba loszuwerden, mußte ich sie schließlich verschenken. Sie sind in gute Hände gekommen. Rio und Bamba blieben zurück.

Da ich beide schon einzeln vorgeführt habe und eine Summe – mathematisch genommen – nur die Addition ihrer Bestandteile ist, sollte es sich erübrigen, mein Hundepaar noch gemeinsam vorzustellen.

Doch im Leben gilt Mathematik nicht so wie auf dem Papier. Ein Hund und ein Hund sind nur auf dem Papier zwei Hunde. Im selben Haus machen sie so viel Freude wie drei.

Das ist freilich wiederum ein mathematischer und deshalb fürs Leben unzulänglicher Vergleich. Drei Hunde im selben Haus machen nämlich weniger Freude als drei Einzelhunde, weil dann mindestens zwei gleichen Geschlechts sind und einander beißen. Hingegen beißt ein Hund niemals eine Hündin.

Kürzlich habe ich die Zwergdackelin meines Nachbarn einen verrufenen Wolfshund ausschelten gehört, und der Wolfshund winselte bemitleidenswert.

Es gibt kein probateres Mittel, zwei kämpfende Hunde zu trennen, als eine Hündin zwischen sie zu werfen.

Zwei Rüden beißen einander ums Fressen oder Lieben, aus Antipathie oder auch nur aus Langeweile, und zwei Hündinnen beißen einander grundsätzlich. Um die eigene Freude und die Lebensfreude des Hundes über die mathematische Verdoppelung hinaus zu steigern, halte man also Hund und Hündin.

Daß ich Rio seine Tochter Bamba zunächst als Spielgefährtin zugesellte, hatte allerdings nicht nur diesen allgemeinen Grund, sondern den mehr zufälligen Anlaß, daß er allmählich fett und faul wurde. Das Alleinlaufen im Garten langweilte ihn, und die Stunden unterm Schreib- und Schachtisch ließen ihn mehr Speck ansetzen, als ihm dienlich war. Er bedurfte einer Aufpulverung. Die besorgte Bamba gründlich.

Als sie sechswöchig zu uns kam, hängte sie ihre zwei Pfund Lebensfreude sogleich an Rio. An den Bart, an den Schwanz, wo immer sie seiner habhaft wurde. Da Rüden galant sind, setzte sich der Griesgram nicht zur Wehr. Zauste ihm Bamba Haarbüschel aus dem Fell, biß er sie nicht, sondern lief ihr, schmerzlich grunzend, davon. Anfangs half das. Bamba war noch klein und brauchte geraume Zeit, ihm in eine entlegene Gartenecke nachzutorkeln. Als sie aber behender wurde, änderte sie Rios vorher so gesetztes Leben. Sie war schon damals ein konsequentes Weibchen, das durchsetzte, was es wollte. Da nun Bamba nichts lieber wollte als Spielen, half es Rio nichts, daß er Spielen für würdelos hielt. Sie stöberte ihn unter Büschen, ja selbst unter meinem Schreibtisch hervor und biß sich ihm, wenn er fortlaufen wollte, im Fell fest, worauf sie sich, vor Freude jaulend, von ihm schleppen ließ.

Als Bamba so kräftig herangewachsen war, daß sie Rio sogar auf den Steintisch des Gartens nachspringen konnte, der seine letzte Zuflucht geworden war, fügte er sich ihr, wie sich der Mann stets fügt, wenn die Frau konsequent bleibt.

Eines Morgens sah ich ihn munter gewölbten Rückens im Kreise über den Rasen jagen, von Bamba mit begeistertem Blaffen verfolgt. Als er meiner ansichtig wurde, setzte er sich zwar hin und kratzte sich, um seine Verlegenheit zu bemänteln, hinterm Ohr – er ist ein Meister im Simulieren –, aber von dem Tage an hatte die nun dreimonatige Hündin dem dreijährigen Rüden das Spielen wieder beigebracht. Inzwischen war sie auch frauenhafter geworden, und mit einer Hündin zu spielen, dünkte ihm wohl minder entwürdigend als mit einem Welpen. Immerhin dauerte es noch Wochen, bis er in aller Offenheit mit ihr herumtollte, ein froherer Hund, als er je gewesen war. Auch schlanker wurde er dadurch, und die Ekzeme vergingen, an denen er früher gelitten hatte.

Damals entwickelte sich zwischen Rio und Bamba das gegenseitige Verständnis, das sie aus zwei Einzelwesen zu einem Kollektiv zusammenfaßte. Wären glückliche Ehen unter Menschen nicht so selten, möchte ich die Kameradschaft der beiden eine Ehe nennen.

Es war ergötzlich zu beobachten, wie das Rio-Bamba-Kollektiv die Eigenarten seiner Bestandteile zum Nutzen des Ganzen verwertete.

Ein Beispiel: Rio bettelte nicht; dazu war er zu stolz.

Bamba hingegen bettelte schamlos.

Saß Rio, während ich aß, still, wetzte sie sich an meinem Stuhl oder sprang mir, wenn nichts anderes helfen wollte, auf den Schoß; schwieg Rio würdig, so jaulte und blaffte Bamba aufs Unwürdigste. Ich habe Bamba nie geschlagen; wenn sie mich aber allzusehr beim Essen störte, schalt ich sie aus. Dann aber erstarrte das Tier so jämmerlich, daß ich mich schämte. Sie auszusperren, versuchte ich nur einmal. Den ganzen Tag schlich sie gesenkten Schwanzes umher. Es blieb mir nichts anderes übrig, als ihr um des lieben Friedens willen von jedem Gericht einen Kosthappen zu geben. Der Gerechtigkeit wegen mußte Rio auch einen bekommen. Er mußte ihn sogar zuerst bekommen, weil er *nicht* gebettelt hatte und zudem der ältere war. Von jedem Gericht mußte ich demnach zwei Happen an die Hunde verteilen. Ich nahm in jede Hand einen und ließ Rio die Wahl. Dabei fand ich bestätigt, daß Hunde schlecht sehen. Obwohl er aufmerksam prüfte, für welchen Bissen er sich entscheiden sollte, wählte er bisweilen den kleineren. Dann bekam Bamba ihren Anteil. Ihn ihr verweigern, hieße, ihr Weltbild zerstören. Schon während Rio wählte, feuchteten

sich ihre Augen vor Angst, der Mensch könne so schlecht sein und Rio *beide* Bissen geben. Nein, so schlecht *kann* er nicht sein! wedelte dabei optimistisch ihr Schwänzchen.

Beim Essen nun beobachtete ich die Zusammenarbeit des Rio-Bamba-Kollektivs. Es gab Kuchen, und die Hunde hatten ihre Brocken schon geschluckt. Da sah ich mit einem zufälligen Blick, wie Rio die Genossin mit seinem Kopf gleichsam ermunternd anstieß. Darauf sprang sie an mir hoch und jaulte bettelnd. Unverkennbar wollte *er* ein zweites Stückchen Kuchen und stiftete sie an, es zu beschaffen. Selbst zu reserviert, darum zu betteln, schob er die Kumpanin vor, die ihn sogleich verstand.

Denn sie verstanden einander durchaus. Vielleicht verstanden sie auch mich besser, als ich annahm, und heuchelten nur Unverständnis. Wenn ich sie immer wieder rufen mußte, ohne daß sie kamen, argwöhnte ich, daß sie mich wohl verstanden – denn ihr Gehör war scharf –, es aber bequemer fanden, unfolgsam zu sein. Rief ich beide: «Rio-Bamba!» kam gewöhnlich keiner. Rief ich nur «Rio!», kam meist Bamba und umgekehrt. Da mochte Eifersucht im Spiel sein, denn vielleicht war etwas einzuheimsen. Rief ich sie aber, wenn sie spielten, so konnte ich rufen, wen und wie ich wollte – es kam keiner. Einmal fühlte ich mich geradezu beleidigt. Rio, den ich rief, war mit Bamba beim beliebten «Matratzenspiel», bei dem sie aufeinander herumtrampelten wie auf einer Matratze. Da machte er eine förmlich achselzuckende Geste, als bedeute er ihr: Schau dir *den* an, wie er sich aufspielt!

Als er sich beobachtet sah, kratzte er sich verlegen.

Vollendet war ihre Zusammenarbeit bei der Jagd. Wenn sie ein Kaninchen aufgestöbert hatten oder auch nur eine Maus, liefen sie nicht wie sonst nebeneinander, sondern trennten sich und jagten einander das Tier im spitzen Winkel zu. Dabei waren sie nicht zur Jagd dressiert worden, denn ich jage nicht. Lebende Tiere sind mir lieber als tote.

Auch beim Fährtensuchen im Walde teilten sie die Arbeit, indem sie getrennt stöberten. Verfolgte aber einer von ihnen zielsicher eine Spur, gesellte sich ihm sogleich der andere zu.

Zwischen ihnen bestand eine Einfühlung, die Bamba fast gleichzeitig aufheulen ließ, wenn mir Rios Pfote unter den Schuh geriet.

Doch betrieben Rio wie Bamba auch Privatwirtschaft: Kostbarstes teilten sie nicht miteinander; ja Knochen versteckten sie voreinander, und um die Zärtlichkeit ihres Herrn betrogen sie einander sogar.

Streichelte ich Bamba, schmuggelte Rio seinen zottigen Kopf ein; kraulte ich Rio, zerrte ihn Bamba am Bein, als fordere sie ihn zum Spielen auf.

Eine besonders kollektivwidrige Auseinandersetzung ergab sich ums Sofa.

Wenn ich abends die Zeitung las, war es Rios Recht, bei mir auf dem Sofa zu liegen. An Bamba nagte der Neid. Um Rio hinunterzulocken, bellte sie, als nahe Verdächtiges, oder zauste ihn spielerisch von unten. Auf mancherlei Art wußte sie ihm das Sofa zu verleiden, und als ich einmal von der Zeitung aufblickte, sah ich statt seiner Bamba zu meinen Füßen liegen. Rio hatte sich verärgert unter die Vitrine verkrochen. Er war kräftiger als Bamba, aber Bamba war konsequenter. Setzte sie sich etwas in den Kopf, setzte sie es auch durch. Es nützte nichts, sich da einzumischen. Ein paar Abende noch kehrte Rio auf seinen angestammten Sofaplatz zurück, dann gab er es auf. Von da an lag Bamba bei meinen Füßen. Nein, auch das genügte ihr nicht. Abend für Abend schob sie sich ein wenig höher und lag schließlich an meiner Achsel. Das war unbequem, aber gegen ihr stetes zärtliches Drängeln fand ich mich wehrlos. An Aufdringlichkeit war sie dem verschlossenen Rio weit überlegen.

Dafür achtete er darauf, daß sie seinen männlichen Stolz respektierte. Er duldete nicht, daß sie mit fremden Hunden spielte. Wurde sie ohne ihn ausgeführt, schnüffelte er sie nachher aufmerksam ab, um festzustellen, ob sie sich nicht gegen sein Verbot vergangen habe. Merkte er fremden Hundegeruch an ihr, verließ er sie gekränkt. Hingegen durfte sie seine freundschaftlichen oder bissigen Beziehungen zu andern Hunden nicht stören. Kam sie ihm dabei in die Quere, hatte er eine recht unsanfte Art, sie mit Anlauf beiseitezuschieben. Wie er mit ihrem Sofaplatz, hatte sie sich damit abzufinden, daß er sich gesellige, ja polygame Freiheiten herausnahm, während er ihren Bewerbern an die Kehle sprang.

Er attackierte dann stracks und wild. Bambas wegen hätte er selbst einen Tiger angefallen. Da kannte er weder Maß noch Besinnung.

Bei solcher Gelegenheit hat er einen Volksauflauf auf der Piazza Grande verursacht, so grimmig kämpfte er mit einem ausgewachsenen Schäferhund, der sich Bamba genähert hatte. Daß es ein Schottischer Schäferhund war, steigerte seine Wut. Mit dieser Rasse stand er auf Kriegsfuß. Der Collie hätte ihn zerrissen, wenn nicht der Kellner eines Piazza-Cafés seinen Syphon auf die beiden gespritzt hätte. Der kalte Strahl trennte sie. Rio blutete aus der Kehle, gab aber keinen Laut von sich. Ich trug ihn zum See, um ihn zu waschen. Dort erst stöhnte er auf. Etwas fiel dabei aus seinem Maul: das halbe Ohr des Schottischen Schäferhundes.

Obwohl Rio und Bamba ein Kollektiv bildeten, betrachtete Rio seine Genossin auch als sein Eigentum. Sie hingegen blickte respektvoll zu ihm auf. Vieles

konnte sie ihm abschmeicheln oder ablisten, nie wagte sie, ihm etwas ab-
zutrotzen. Eine Ehe, wie sie sein soll…

Auch sie hatte ihre Vergnügen außerhalb des Kollektivs. Freudig lief sie hinge-
worfenen Hölzern nach, was er verschmähte, und mit wahrer Begeisterung oblag
sie ohne ihn dem läppischen Leinenspiel. Das will heißen: sie verbiß sich in die
Hundeleine, die mir lose von der Hand hing, und zerrte an ihr mit grimmigem
Knurren. Vorübergehende gewannen den Eindruck, ich zerrte an Bamba, und
bedauerten das Tier. Um das zu vermeiden, hielt ich die Leine so hoch ich
konnte. Bamba aber war imstande, die Leine länger zu beobachten als ich sie
hochhalten konnte. Als ich sie einmal kommentwidrig in der Tasche verwahrte,
riß sie mir ein Dreieck aus dem Rock.

Meine Spaziergänge mit Bamba glichen einer Dressurnummer; in der Nachbarschaft gab es ein Kind, das uns deswegen auf der Straße erwartete.

Solche Extravaganz seiner Gefährtin übersah Rio und widmete sich indessen
einer geifernden Auseinandersetzung mit Lolo, des Nachbars Kettenhund.

Ein Bekannter, der mich derart beschäftigt sah, fragte mich einmal, weshalb
ich mir mit meinen Hunden so viel Plage auflüde.

«*Plage?*» staunte ich.

*

Von allen Hundebüchern ist mir Karel Čapeks «*Daschenka*» das liebste,
weil sein Verfasser zugibt, daß er seinem Hund Geschichten erzählt. Alle
wahren Hundefreunde tun das, aber nur wenige gestehen es ein. Weshalb schä-
men sie sich? Wer seinem Hund richtig befreundet ist, erzählt ihm vielerlei.

Wer keinen Hundekameraden hat, mag rationell einwenden, ein Hund verstehe
keine Geschichten. Da weder Čapek noch ich für solche Rationalisten schreiben, stören uns ihre Meinung nicht. Außerdem ist sie unrichtig. Ein Hund nämlich versteht uns um so besser, je mehr wir mit ihm sprechen.

«Essen», «Gasse!», «Zucker», «Kusch!», «Fuß!», «Brav!» und «Pfui!»
verstehen fast alle Hunde.

Ein Hund, mit dem sein Herr häufig spricht, versteht noch mehr. Rio hielt, obwohl er kaum durchschnittlich gescheit war, einundzwanzig Worte klar aus-

einander. Bei einem noch so gleichgültig gesprochenen «Teddy» raste er gesträubten Fells an die Tür, denn ein Collie dieses Namens ist sein übelster Feind. Ähnlich – wenn auch mit minderer Entrüstung – reagierte er auf «Lolo» und «Rex», während er den Namen der von ihm verehrten Nachbardackelin «Hexe» mit sehnsüchtigem Winseln quittierte.

Wie gut er selbst dann verstand, wenn er sich den Anschein gab, er verstünde nicht, beobachtete ich einmal, als er trotzte. Ich mochte seinen Namen rufen, in welcher Tonart ich wollte – zärtlich, drohend und schließlich brüllend –: Rio blieb zusammengerollt liegen. Nicht mit einem Zucken der Ohren verriet er, daß er mich verstanden habe. Als ich aber «Teddy» flüsterte, sprang er jäh hoch, stand bocksteif und schnüffelte erhobenen Kopfes nach dem Feind, den ich genannt hatte.

Das Gehör der Hunde für unsere Sprache ist feiner, als man im allgemeinen annimmt. Im vortrefflichen «Bunch-Book» beschreibt James Douglas seinen Retriever «Caro», der, gleich den meisten Hunden, außer Rand und Band geriet, wenn sich sein Herr zum Ausgehen bereit machte. Sagte aber Douglas «Ich gehe in die Kirche», legte sich Caro resigniert wieder hin. Douglas stellte fest, daß der Hund solcherart *nur* auf das Wort «church» (Kirche) reagierte, während er sich von ähnlich klingenden Wörtern wie «lurch», «birch» oder «search» nicht abhalten ließ, ihm zu folgen. Auch meine Erfahrung mit Rio, der auf die klangähnlichen Wörter «Rex» und «Hexe» so verschieden reagierte, bestätigt die Fähigkeit des Hundes, lautlich exakt zu unterscheiden.

Bamba verstand nur neunzehn Wörter. Von diesen deckten sich einige mit Rios Vokabular wie etwas «Baden» (worauf sich beide verkrochen) und «Schokolade» (hinter der sie beide her waren), während andere nur ihr verständlich waren. Dazu gehörten die Namen ihrer Jungen, aber auch «Hundekuchen» (den sie zum Unterschied von Rio gern fraß) und «Männchen» (die zu machen Rio für würdelos hielt).

Je häufiger man mit seinem Hunde spricht, um so weiter erstreckt man sein Verständnis, und sein aufmerksames Zuhören erweist, wie willkommen ihm das ist.

Daß eine exakte Verständigung zwischen Mensch und Hund nur in den Schnittpunkten ihrer Interessen möglich ist, gibt scheinbar den Rationalisten recht, die es für lächerlich halten, einem Hund Geschichten zu erzählen. Aber nur scheinbar!

Der Rationalist vergißt nämlich, daß die Sprache nicht ausschließlich der exakten Verständigung, sondern auch der Übertragung von Stimmungen dient. Wozu sonst plaudert eine Mutter mit ihrem Säugling? Wie, auch das sei Unsinn, wenn auch verzeihlicher? Nun: ein erfahrener Kinderarzt sagte mir, auch er erzähle seinen kleinen Patienten Geschichten. Er wolle von «Aura» und ähnlichen metaphysischen Begründungen absehen, müsse aber feststellen, daß Erzählen ein probates Mittel sei, ungebärdige Säuglinge gefügig zu machen.

Aus eigener Erfahrung weiß ich, daß es nicht nur möglich, sondern durchaus ratsam ist, mit feindseligen Papuas zu palavern, auch wenn sie einen nicht verstehen.

Daraus möchte ich weiter folgern, daß Gespräche mit Hunden nicht überflüssig, geschweige denn lächerlich sind, weil sie zwar nur ausnahmsweise Begriffe, doch meist Stimmungen vermitteln.

Minder vorsichtig als jener Kinderarzt nehme ich sogar an, daß sie einer metaphysischen Übertragung dienen: der Aura der Freundschaft zwischen Mensch und Hund.

Dem entspricht, daß sich das Verständnis des Menschen für die Hundesprache in demselben Maße schärft, in dem der Hund die Menschensprache zu verstehen oder doch zu erfühlen lernt. Das Bellen eines Hundes, der menschlicher Ansprache entbehrt, ist ausdrucksärmer als der Laut eines Hundes, mit dem sich sein Herr auszusprechen pflegt. Im selben Maße, in dem wir bemüht sind, unsere Sprache seinem Verständnis anzupassen, moduliert er uns zuliebe die seine. Dankbar vergilt er unser Interesse; doch es ist Voraussetzung für das seine.

Bamba liebte Geschichten. Rio war darin gleichgültiger, aber doch beleidigt, wenn ich nicht zu ihm sprach. Ohne ein ausführliches «Gute Nacht» sprang er nicht in seinen Schlafkorb.

Bamba legte Wert darauf, daß in der Geschichte ihr Name vorkam; je öfter, desto besser. Vergaß ich, ihn gebührend hervorzuheben, stupste sie ihre kalte Nase erinnernd an meine Hand. Demnach begann eine Bamba-Geschichte etwa so:

«Es war einmal eine kleine Sealyham-Hündin namens *Bamba*. Ihr Vater hieß *Rio* (dies für ihn, dessen trauriger Blick mich schon der Treulosigkeit bezichtigt), «ihre Mutter hieß Patsy» (Bamba streckte sich, wohlig tief atmend, zu bequemerem Zuhören aus), «sie hatte zwei Brüder; einer hieß Joker und kam nach Mailand, wo er jeden Tag Mortadella fraß, der andere hieß Benno und kam nach Karlsbad, wo er»   Bamba stupst mahnend – «sie selber hieß *Bamba*», füge ich schnell ein, und Bamba schnurrt wie eine Katze; sie ist ein eitles Weibchen, das ständig im Mittelpunkt zu bleiben wünscht. «Einmal hatte sich Joker an Mortadella überfressen und fuhr zur Kur nach Karlsbad» (Bamba stupst) «– und an *Hundekuchen*» – (Bamba richtet sich interessiert auf.) «Dort traf er Benno, der gerade seinen Menschen auf die *Gasse* führte...» (Gasse versteht Bamba und blickt nach der Tür.) «Ei, bellte Joker, welch ein schöner Sealyham!» (Bamba stupst.) «Sollte der nicht aus *Bambas* Familie sein?» (befriedigt wedelnd legt sich Bamba wieder hin.) «Er hat ja auch einen schwarzen Fleck auf der Hinterbacke. Ich will einmal hineinbeißen!» (Bamba knurrt, denn sie merkt am Tonfall, daß die Geschichte dramatisch wird.)

So ging es die zehn Minuten weiter, auf die jeder Hund ein ausschließliches und durch nichts fortzuschwindelndes Tagesanrecht an seinen Menschen hat.

Die Geschichten, die ich Rio erzählte, waren, wie es sich unter Männern ziemt, sachlicher. Sie handelten – sollte Rio, den Dickkopf zwischen den Vorderpfoten, aufmerksam zu mir heraufschielen – von «Rex» und «Lolo» und «Fido» und «Hexe» und von ganz bösen Einbrechern, die klingeln, bevor sie einbrechen. Klingeln hielt Rio für das Verworfenste. Klingelte es abends, geriet er vor Wut außer sich. Einem stillen Einbrecher hätte er manches nachgesehen, einen klingelnden hätte er zerreißen mögen.

Manchmal berichtete ich Rio auch Aktuelles. So, als der Gendarm auf seiner Runde bei mir war, um die Hundesteuer einzuziehen.

«Einunddreißig Franken fünfzig allein für Rio», berichtete ich. «Für

Bamba ebensoviel, aber Bamba ist immerhin eine wohlhabende Frau. Offenbar weiß der Gendarm, daß sie ein Halsband aus roten Korallen hat. Aber für Rio? Rio sollte eigentlich Rekurs einlegen. Er sollte auf das Steueramt gehen und bellen: ,Sehen Sie, bitte, mich armen Teufel an! Woher soll ich einunddreißig Franken fünfzig nehmen? Die Zeiten sind nicht mehr, was sie waren, Herr! Mehr Reis als Fleisch im Freßnapf! Alle meine Rippen können Sie zählen!' – Der Steuerkommissar würde ihn probeweise kneifen und feststellen, daß noch allerhand Speck auf den Rippen sitzt. ,Speck!' wird Rio weinerlich protestieren. ,*Das* nennen Sie Speck, Herr Kommissar? Das ist doch nur *Fell?* Mein alter Pelz aus bessern Tagen!' – ,Und Ihre Spareinlagen? Ihre Knochen im Rosarium und unter der zweiten Palme links neben Ihrem Haus? Wir wissen Bescheid, Herr Rio, Sie sind ein vermöglicher Hund!' – Rio wird so tief stöhnen, wie er stöhnt, wenn der Teller der Katze vorbereitet wird. ,Herr Kommissar!' wird er stöhnen, ,das sind niedrige Denunziationen, die wahrscheinlich von Lolo stammen! Seit Monaten habe ich keinen anständigen Knochen gesehen. *Gras* fresse ich, jawohl, mein Herr, Gras, und gestern war sogar *Salat* in meinem Napf!' – ,Unsere Informationen', dürfte der Beamte erklären, stammen nicht von Ihrer Konkurrenz, sondern von durchaus verläßlicher Seite. Ich empfehle Ihnen, Ihren Rekurs zurückzuziehen. Widrigenfalls wären wir genötigt, noch den in Schokolade getunkten Zucker in Anrechnung zu bringen, den Sie täglich im Caffè Svizzero speisen. Außerdem liegen hier zwei, nein, warten Sie, sogar *drei* Anzeigen wegen unbefugten Betretens der Anlagen gegen Sie vor. Solange Sie Ihre Steuern pünktlich zahlen, wollen wir das auf sich beruhen lassen; wir sind Kurort und sehen Fremden manches nach. Aber ich möchte Ihnen doch dringend raten, unsere Nachsicht nicht zu mißbrauchen. Bedenken Sie nur, was die Straßenreinigung kostet, die Sie notwendig machen – wirklich, Herr Rio, Sie sollten sich darin reservierter verhalten und nicht gerade auf der Piazza Grande... Wir besteuern Sie noch zu milde!' – ,Aber woher *nehmen?*' wird Rio winseln. – ,Sie sprechen wie Ihr Herr', wird der Beamte abschließen, ,fragen Sie ihn doch, wie wir *seinen* Rekurs erledigt haben. Zahlen Sie, rate ich Ihnen!' Und was», schloß ich die Geschichte, «wird Rio machen?»

«Rrrrr! Waff!» sprang Rio zornig hoch, weil Lolo es wagte, fernher zu heulen.

« Ja, ja», entsann ich mich trübe, «so habe ich es auch versucht und es hat mir doch nichts geholfen...»

*

Zum Schluß noch ein paar Worte über Rios und Bambas Rasse, die *Sealyham-Terrier* :

Sie heißt so, weil diese struppigen kleinen Hunde zuerst auf dem Landgut Sealyham in Wales gezüchtet worden sind. Aber wen interessiert das schon? Es hätte ebensogut woanders sein können, wo es gilt, Dachs und Fuchs aus dem Bau zu beißen.

Sinnvoller schon wären die Sealyhams «*Edwardes-Terrier*» zu benennen, um derart das Andenken an Captain Edwardes zu ehren, der ihre Rasse vor etwa hundert Jahren aus unbekannten Terrier- (und wohl auch Dackel–) Stämmen gekreuzt und durch stete Auswahl der angriffigsten Kämpfer auf Courage gezüchtet hat.

Hier sieht man wieder einmal, daß der vielgerühmten «reinen Rasse» die Kreuzung vorangeht, und der «traditionelle» Kampfgeist alter Stammbäume durch Bastardierung aufgepulvert wird. In der Tat verhält es sich nämlich auch bei Hunden so, daß alte Rassen degenerieren und die neueren, die für besonders edel gelten, recht dunkler Abstammung sind. Es kommt eben nicht aufs Alter einer Rasse und schon gar nicht auf ihre «Reinheit» an, sondern auf ihre Qualität. Steht die einmal fest, mag man sie so lange « rein» weiter züchten, bis sie degeneriert und ein Zufallssprung der Natur oder die Marotte eines Züchters die auffrischende Kreuzung vornimmt, die eine neue Rasse zeugt.

Das aber gehört nur insofern hierher, als der Sealyham-Terrier, wie er allgemein heißt (oder der *Edwardes-Terrier*, wie er richtiger heißen sollte) verhältnismäßig junger Rasse und unbekannter Vorfahren ist. Das hindert ihn jetzt freilich nicht, in den feinsten Terrier-Zuchtbüchern mit einer Menge volltöniger Ahnen zu paradieren.

Bedenkt man, daß der Englische Kennel-Club ihn erst 1911 zu Ausstellungen zuließ, so kann man die Qualitäten ermessen, derentwegen er seither Lieblingshund eines englischen Königs und auf internationalen Ausstellungen des öftern «Bester Hund aller Rassen» geworden ist.

Als Hauptqualität strebte Captain Edwardes Courage an und merzte deshalb jeden Hund aus, der feige oder auch nur vorsichtig war. Wer Sealyhams besitzt, mag freilich wünschen, Captain Edwardes hätte auch ein paar vorsichtige Rüden in seine Zucht aufgenommen, oder doch so besonnene, daß sie wenigstens nicht mit einem Bernhardiner anbinden. Was er an Angriffslust in einen kurzbeinigen Zehnkilo-Hund hineingezüchtet hat, würde für einen Kaffernbüffel ausreichen.

Einem rechten Sealyham kann der Gegner gar nicht groß genug sein. Hunde, die so klein sind wie er, läßt er vornehm in Frieden. Er wartet auf einen Riesenschnauzer, einen Boxer oder sonst etwas unmäßig Muskulöses. Sein Wunschtraum ist ein bengalischer Königstiger. Ich habe zehn Jahre lang Sealyhams gezüchtet: ich weiß Bescheid.

Da war der Neufundländer, der den Milchwagen zog, ein Berg von einem Hund. Mein Rio vertrat ihm knurrend den Weg. Friedfertig wogte der Neufundländer beiseite.

«Der Herr hat wohl Angst» (oder etwas Ähnliches), schnaubte Rio gesträubten Fells.

Der Neufundländer beugte sein schweres Haupt, um das Maulvoll weißen Hundes aus der Nähe zu beäugen.

Das hätte er nicht tun sollen, denn es brachte seine Kehle in Rios Reichweite. Der nahm die Gelegenheit war und sprang.

Der Neufundländer stöhnte auf wie ein Nebelhorn. Er schloß seinen Rachen um Rios Rücken, pflückte ihn von sich wie eine Zecke und warf ihn mit einem knappen Ruck des Kopfes den Abhang hinunter. Dann legte er sich wieder ins Geschirr, ohne auf seinen Herrn zu achten, der sich bei mir entschuldigte. Doch was gab es da zu entschuldigen? Der Fall lag klar. Der Neufundländer hatte recht.

Unten im Tobel lag Rio und röchelte vor Wut. Während ich ihn zum Tierarzt trug und er mir den Anzug durchblutete, knurrte und prustete er zornig den

ganzen Weg über. Den Tierarzt, der ihm das Rückenfell nähte, biß er in die Hand; so erbost war er immer noch über den Neufundländer.

Ein anderer Hund hätte sich solch ein Erlebnis zur Warnung dienen lassen. Nicht ein Sealyham!

Rios Fell war noch kaum vernarbt, als wir dem Milchwagen wieder begegneten. Diesmal fiel Rio den Neufundländer ohne jede Warnung an. Stracks sprang er ihm gegen die Schulter – höher kam er nicht. Indem der überraschte Riese sich gegen ihn wandte, verstrickte er sich ins Geschirr und kollerte mit brechender Deichsel und klirrenden Milchkannen den gleichen Hang hinunter, den er vorher Rio hinabgeworfen hatte. Der Sealyham stand oben und sah ihm befriedigt nach. Es fehlte nur, daß er sich die Vorderpfoten abgewischt und bemerkt hätte: «So, jetzt sind wir quitt!»

Ich hatte vier Kannen Milch und eine zerbrochene Deichsel zu bezahlen, und Rio hielt das gewiß für preiswert.

Von da an ließ er den Neufundländer in Ruhe, und wenn dieser Rio sah, beschleunigte er seinen würdigen Schritt. Rio hatte sich vorgenommen, den großen Kerl klein zu kriegen, und was sich ein Sealyham vornimmt, führt er auch durch. Deshalb hieße seine Rasse am bezeichnendsten «*Trotzkopf-Terrier*».

Freilich faßt ein Sealyham seinen Entschluß erst nach reiflicher Überlegung. Nicht so leichthin wie etwa ein Foxterrier, der irgendwelchen Zufall ausnützt, um eine nette kleine Beißerei zu arrangieren. O nein, ein Sealyham überlegt gründlich. Bevor er sich zum Wedeln oder zum Beißen entschließt, ja, bevor er auch nur ins Reine kommt, ob er dem Ruf seines Herrn folgen oder ihn überhören soll, dreht er seine dunklen Altmänner-Augen sinnend nach oben, bis nur noch das blutunterlaufene Weiße zu sehen ist, und überlegt so angestrengt, daß man glaubt, sein Gehirn knirschen zu hören.

Hat er sich aber entschieden, könnten nur kosmische Gewalten seinen Entschluß ändern: der Wille des Menschen reicht dazu nicht aus. Ein Sealyham, der nicht vom Fleck will, läßt sich lieber erwürgen, als daß er nachgäbe.

Ich hatte Rio erzogen, zu bellen, wenn jemand an die Haustüre kam. Reifliches Nachdenken brachte ihn jedoch zum Ergebnis, daß man niemandem den Eintritt wehren soll, weil es ja auch Menschen gibt, die etwas mitbringen – der Metzgerbursche etwa. Es genügt, überlegte er, die Leute am Weggehen zu hindern; dann ist man sicher, daß sie nichts mitnehmen. Seitdem er diesen Schluß gezogen hatte, ließ er jeden ins Haus, der herein wollte – Lieferanten, Besuche, Briefträger, er hätte auch einen Einbrecher hereingelassen –, stellte sich aber mit grimmig entblößten Reißern in die Tür, wenn wer hinaus wollte. Ich mußte

ihn jedesmal beiseite schleifen, denn ich war der einzige, den er bei solchem Anlaß nicht biß. Nicht einmal die Köchin, der er sonst recht zugetan war, konnte
ihn besänftigen, wenn er den Ausgang verteidigte. So bereitwillig er Lebens-
mittel ins Haus ließ; der Argwohn, sie könnten auch wieder hinausgeschafft
werden, machte ihn rasend.

Charmanter als der Sealyham-Rüde trägt die *Hündin* den Trotz ihrer Rasse,
und ihretwegen vor allem habe ich während zehn Jahren Sealyhams gezüchtet.
Will sie ihren Willen durchsetzen – und das will sie mit der eisernen Entschlos-
senheit einer Ehefrau, die einen neuen Hut will – bedient sie sich gütiger
Mittel: ihrer sanften topasbraunen Augen vor allem, mit denen sie schmelzend
zu schmeicheln versteht. Doch wie der Rüde ist auch sie weder durch Güte
noch Strenge von ihrem Entschluß abzubringen.

*

Es ist schon lange her, daß ich Sealyhams gezüchtet habe, aber immer noch
meldet sich bisweilen die Sehnsucht nach ihnen. Deshalb bin ich zur Internationalen Hundeausstellung nach Luzern gefahren. Wie sehen sie jetzt aus, die
lieben Trotzköpfe? Bevorzugt man immer noch die mit dem schwarzen Monokel? Und legt der Richter immer noch Wert darauf, daß die Vorderfüße
breiter aber kürzer sind als die Hinterfüße?

Ich kam nach Luzern und suchte Sealyhams. In der weiten Ausstellungshalle
waren mehr als elfhundert Hunde von dreiundachtzig Rassen ausgestellt: gas-
senlang Sennenhunde und Schäferhunde und Deutsche Boxer und Pudel und
Bernhardiner. Rassen waren da, die ich noch nie gesehen hatte – und die, nehme ich an, von ihren Menschen ebenso zuhöchst geschätzt werden wie von mir
die Sealyhams –: Shetland--Sheepdogs, Norwich-Terrier, Bouviers des Flan-
dres, Espagneul Papillons und sogar Chi-hua-huas.

Nur Sealyhams waren nicht da. Kein einziger! Dabei sind sie nicht etwa sel-
ten geworden. Aber nicht ein einziger hatte sich in Luzern ausstellen lassen.
Mir zum Trotz nehme ich an, weil ich es aufgegeben habe, sie zu züchten.
Sealyhams sind Trotzköpfe...

*

Bleibt noch zu erwähnen, was aus Rio und Bamba geworden ist; so Viele erkundigen sich nach ihnen.

Ich schreibe es nicht gern hin; denn einmal ist dies ein heiteres Buch, während mich der Tod zweier Kameraden noch in der Erinnerung traurig stimmt; und dazu war es, als sie starben, eine bedrückende Zeit für alle redlichen Hunde und Menschen. Damals übersiedelte ich von der Schweiz nach Brasilien. Diese beiden Länder haben mir das Leben gerettet, und beiden werde ich dafür bis zu meinem Tode dankbar bleiben. Doch daß ich von einem ins andere zog, hat Rio das Leben gekostet: er war damals elf Jahre alt, fast blind und so krank, daß ich ihn niemandem mehr zumuten konnte. Also mußte ich ihn töten lassen. Bamba hat noch vier Jahre bei meiner guten Haushälterin weitergelebt und ist in ihren Armen gestorben. Sie saß die meiste Zeit am Gartentor und wartete auf mich. Genug davon! Denn, wie gesagt, dies will ein heiteres Buch sein...

DER PARIA

(Auf der Insel Paquetá in der Bai von Rio de Janeiro, 1941)

Eines Morgens sah ich, daß die Telephonleitung meines Hauses durchschnitten war, und das Schloß der Haustüre lose hing. Nur der Riegel hatte standgehalten. Ein Einbruchsversuch, kein Zweifel.

Das Richtige war, der Polizei Anzeige zu erstatten. So klein diese Insel ist: Polizei hat sie.

Wenn ich in einem Kriminalroman las, daß ein Privatmann auf eigene Faust einen Verbrecher verfolgt, fragte ich mich immer: warum geht er nicht zur Polizei? – Ich werde das nicht wieder fragen, denn ich ging auch nicht hin.

Konnte ich, der eben erst nach Brasilien gekommen war und noch auf meine Identitätskarte wartete, schon eine Anzeige erstatten? Und wie sollte ich sie erstatten? Bis zu kriminellen Vokabeln war mein Portugiesisch noch nicht vorgeschritten, und «Telephonleitung» fand ich nicht einmal im Wörterbuch.

Das freilich waren nur Ausreden. Der Kommissar wußte gewiß, wer ich bin – die Polizei weiß auch hier mehr von einem, als man annimmt – und gedolmetscht hätte mir schon jemand. Nein, der Grund war, daß ich mich schämte, um Schutz zu bitten. Lieber wollte ich selber aufpassen.

Als ich ein paar Tage darauf vom Schwimmen heimkam, fehlten auf dem Verandatisch meine Sonnenbrille und der bunte Drehstift.

Sollte ich nun zur Polizei gehen? Wegen einer Sonnenbrille und eines Drehstifts?

Nein, lieber spielte ich selbst Detektiv.

Kriminalromane sind, erkannte ich, lebenswahrer, als man annimmt. Denn, siehe da, ich hatte Erfolg!

Schon in der folgenden Nacht hörte ich die Verandaklinke leise quieken. In meinem kleinen Strandhaus quieken alle Klinken, und es sprach für die Gewandtheit des Einbrechers, daß diese es nur leise tat. Für seine Findigkeit hingegen sprach es, daß er sie angehoben hatte, statt sie niederzudrücken, denn diese Klinke dreht sich verkehrtherum.

Kein gewöhnlicher Einbrecher also...

Ich aber war *noch* schlauer!

Durch die Küche und Hintertür huschte ich außen ums Haus herum und warf mich auf den Schatten an der Verandatür.

Der Schatten war schmal und schwach. Er knallte – wenn man das von einem Schatten sagen darf – mit dem Kopf an die Tür und rief mit hoher Stimme ein schmerzhaftes «Ai!»

«Ladrâo! – Schurke!» knirschte ich, denn das hatte ich vorbereitend nachgeschlagen, und griff nach der Taschenlampe in meiner Pyjamatasche. Das hätte ich nicht tun sollen, denn damit ließ ich den Einbrecher mit einer Hand los, und der andern entwand er sich geschmeidig.

Im aufblitzenden Licht sah ich ihn über die Verandabrüstung flanken: ein mageres Mädchen von, mag sein, siebzehn Jahren, den kurzen Rock mit einem Strick um die Hüften gebunden. Die Beine sahen sehr dunkel aus. Entweder waren sie überaus schmutzig, oder mein Einbrecher war eine kleine Mulattin. Kein rühmlicher Gegner. Und nicht einmal den hatte ich zur Strecke gebracht...

Am nächsten Morgen – nahm ich mir vor – würde ich sie anzeigen. Sie? Wen? Mädchen wie sie gibt es viele auf der Insel. Würde ich sie wieder erkennen? Kaum. Und selbst wenn ich sie erkannte: kann ein ausgewachsener Mann die Polizei gegen ein Mädchen zuhilfe rufen, das «Ai!» jammert?

Also ging ich auch jetzt nicht zur Polizei.

Sondern ich dachte nach. Weshalb, dachte ich, hatte sie es gerade auf mein bescheidenes Haus abgesehen, während üppigere herumstehen? Indem hinter meinem Hause wieder einmal die drei Kutscherhunde losblafften, antwortete ich mir: weil mein Häuschen keinen Hund hat. – Schrieb doch ein alter Kriminalist: ein kleiner Hund ist zuverlässiger als eine große Alarmanlage.

Paquetá nun ist die hundereichste Insel, die ich kenne. Ihr Schutzpatron ist der heilige Rochus, der mit einem Hund abgebildet wird. Aus dem von Autos wimmelnden Rio de Janeiro flüchten Hundefreunde nach dieser fast autofreien Insel. Ein Haus auf Paquetá wird von mindestens *einem* Hund bewacht, häufig von mehreren. Der Kutscher hinter meinem Haus hat drei, worunter eine alte Schäferhündin, die auf der Gartenmauer hin- und herrast, während eine Art schwarzer Pinscher in entgegengesetzter Richtung läuft und sich bei jeder Begegnung geübt unter ihre Zitzen duckt, und ein weißer Spitz, mit einer Glatze am Hintern, auf dem Torpfeiler sitzt und heult. Um dieses Trio zu entfesseln, genügt ein Räuspern. Der Spitz hört am schärfsten und alarmiert seine Kumpane.

Die Amerikanerin im Bungalow neben mir besitzt einen Dackel, zwei Foxterrier und einen graustruppigen, keiner Rasse auch nur annähernd zuweisbaren Inselhund, den sie aus Erbarmen adoptiert hat.

Die Fischer der Insel bevorzugen dickfellige braune Spitze, die Obsthändler eine Art Rattler, die Gastwirte Wolfshunde – der Wolfshund des Restaurants, in dem ich Mittag esse, ist fett wie eine Mastsau – ; der Millionär der Insel züchtet Harlekindoggen, die Frau des Barkeepers Pekingesen, und der Fleischer besitzt, wie sich das gehört, einen Fleischerhund von der Größe eines Kalbes. Auf Paquetá ist jeder Schuljunge Herr eines Hundes.

Weshalb hatte ich noch keinen?

Recht geschah mir, daß man bei mir einbrach!

Also beschloß ich, mir einen Hund anzuschaffen.

Wie so häufig in meinem Leben aber kam es umgekehrt: nicht ich suchte mir den Hund aus, sondern der Hund mich.

Das kam so: Der Knabe Roberto, der bei mir sauber macht, weil seine Mutter, die dafür bezahlt wird, wieder einmal im Kindbett liegt, schleifte einen schwärzlichen dürren Köter, so groß etwa wie einen Spitz, an Genick und Kreuz zur Gartentür hinaus. Auch darin bewährt Roberto seine halbindianische Abkunft, daß er mit Tieren umzugehen versteht. Des Nachbars Kutschpferde reitet er ohne Halfter ins Meer, und diesem Paria-Hund griff er unbekümmert ins dicke

Fell. Der Hund zielte mit der Schnauze nach der schmalen Bubenhand und ich rief: «Vorsicht!». Roberto aber lächelte nur, und als ich näher kam, sah ich, daß der Hund die Hand leckte, die ihn hinauswarf. Ich sah noch mehr: ich sah die Augen dieses schakalhaften Hundes mit flehendem Blick auf den Buben gerichtet, und es waren schöne Augen: groß und goldbraun. Aus solch hilflosen Augen hatte mich mein Rio angeblickt, als ihm eine Katze, wütend kratzend, auf den Rücken gesprungen war. Damals blickte auch er mich flehend an, und seine schönen braunen Augen bluteten...

Der struppige, fuchsig-schwärzliche Köter, den Roberto eben aus meinem Garten hinauswarf, hatte nichts mit Rio, dem schönen, stolzen Sealyham, gemein. Dennoch blickte er wie jener.

Das rührte mich und ich rief: «Vorsicht, Roberto, Sie tun ihm weh!»

«Dem ,*Recki*‘, Patron? Der gehört doch *mir!*» Und damit schleuderte er ihn wie einen Fetzen ins Meer.

Der Hund platschte ins Wasser, das zur Flutzeit bis an die Bordsteine der Straße hochreicht, strampelte sich an Land und schlich triefend davon.

Das war meine erste Begegnung mit Recki, und von da an achtete ich auf ihn. Noch unter den herrenlosen Hunden der Insel nahm er eine tiefe Stellung ein. Denn auch Pariahunde haben ihre Rangordnung, und sie ist ehrlicher als die der Haushunde. Während nämlich diese von der Stellung ihrer Menschen profitieren – so zwar, daß der Metzgerhund, auch wenn er dumm oder feige ist, über dem Hund des Gemüsehändlers steht –, muß ein herrenloser Hund seinen Rang erkämpfen oder erlisten. Darin nun stand Recki weit zurück. Bei den bissigen Spielen, die der Hundepöbel frühmorgens auf dem Strand trieb, war Recki nicht zu bemerken. Erst nach Sonnenaufgang schlich er heran, aber da waren auch schon die Geier aus den hohen Wipfeln der Blaufieberbäume herabgeschwebt, um den Strand bis auf den letzten Sardinenkopf zu säubern.

Kläglich schlich er, das dürre Hinterteil eingezogen, hinter den häßlichen schwarzen Vögeln her und wich zurück, so oft ein «Urubu» die steifen Federn knisternd gegen ihn sträubte.

Ich habe Hunde gern, und so verdroß es mich, ihr treues und kluges Geschlecht in diesem Exemplar geschändet zu sehen.

Es gibt einen Typus Tier – wie es einen Typus Mensch gibt –, der Grausamkeiten herausfordert. Nach Recki bissen die Hunde, hackten die Geier und schlugen die Menschen. Selbst einen sonst wohlerzogenen Engländerjungen, der einen netten Foxterrier zum Spielgefährten hat, sah ich Recki, der friedlich Pferdeäpfel beleckte, die Gerte schmerzhaft über den Rücken wippen.

«Weshalb schlägst du den Hund?» stellte ich ihn zur Rede. «Gib ihm lieber was zu fressen!»

«Dem *Rex*?» staunte der Junge, nicht anders als Roberto gestaunt hatte.

«Rex – König» also und nicht «Recki» hieß dieser Bettelhund, der jedem zu gehören schien, der ihn prügeln wollte, doch keinem, der ihm Futter gab. Bisweilen sah ich ihn hinter den Negerkindern herlaufen. Seine Sehnsucht trieb ihn zu Menschen, aber seine Feigheit ließ nur zu, daß er sich Kindern näherte. Doch gerade Kinder können sehr grausam sein, und Recki schlich denn auch nicht an sie heran, ohne die Ohren anzulegen und den Bauch an die Erde zu drücken. Griff ein Kind nach ihm, warf er sich auf den Rücken, um ergeben anheimzustellen, ob es ihn streicheln oder treten wolle.

Im allgemeinen sind Brasilianer gut zu Tieren. Ihre Pferde und Maulesel sind ordentlich gefüttert. Sogar sauber gestriegelt sind sie zumeist, und das ist in südlichen Ländern eine Seltenheit. Katzen und Haushunde tragen hier die Selbstsicherheit der Versorgten zur Schau. Das macht der portugiesische Einschlag. In Portugal springen einem die Hunde mit Vertrauen entgegen, und selbst die in Spanien so arg verprügelten Esel sind in Portugal gut gehalten und strecken einem den Dickkopf zum Kraulen hin. Nie habe ich in Portugal das Heulen eines geprügelten Hundes gehört, dafür aber in einem Schulbuch das Sprichwort gelesen: «Apedrejar um câo é apedrejar a virtude. – Steine nach einem Hund werfen, heißt Steine nach der Tugend werfen.» Die Fassade des größten Hotels von Cintra trägt in schönen Fayencekacheln die Mahnung des Tierschutzvereins, gut zu Tieren zu sein.

Freundlichkeit gegen Tiere entspricht der gentlemanliken Einstellung des Portugiesen gegenüber Wehrlosen. Ein Gentleman nämlich ist ein «gentle man», ein «sanfter Mann».

Auf Recki jedoch erstreckte sich die landesübliche Tierliebe nicht. Forderte doch seine Feigheit dazu heraus, mißbraucht zu werden. So war er denn noch unter Parias zum Paria geworden.

Als ich ihn seiner sanften Augen wegen zu füttern begann, näherte er sich mir, im Widerstreit von Angst und Gier, nur zögernd, und bevor er nach einem Brocken schnappte, warf er sich auf den Rücken, um den Tritt in Empfang zu nehmen, der nach seiner Erfahrung eine Gabe begleitete. Rohes Fleisch nahm er gierig an, gekochtes mißtrauisch schnüffelnd, Zucker gar nicht, weil er ihn nicht kannte. Als er zutraulich geworden war, schüttete ich ihm ein wenig Pulverzucker in die Schnauze. Er schluckte ergeben, kostete verwundert nach, leckte den Bart und war von da an versessen auf Zucker.

Doch erst nach einigen Wochen wurde er zutraulich, zu der Zeit nämlich, als ich mich des kindischen Einbruchsversuchs wegen nach einem Wachhund umsah. Recki kam dafür nicht in Betracht. Was hätte mir der Paria genützt? Nicht einmal das diebische Mulattenmädchen hätte vor ihm Angst gehabt. Wahrscheinlich war Recki ebenso ihr Hund wie der jedes andern. Nein, an Recki dachte ich nicht, sondern an einen derben Falben, dem die andern Paria-Hunde respektvoll die erste Wahl im Mülleimer überließen. Auch ein gescheckter Vorstehhund kam in Betracht, der bisweilen mein hundeloses Haus mit betonter Herablassung besuchte.

Dachte aber ich nicht daran, Recki zu meinem Haushund zu machen, so dachte *er* indessen an nichts anderes. Und hatte es Wochen gedauert, bis er sich nicht mehr vor mir fürchtete, so dauerte es nur *eine* Nacht, bis er von mir und meinem Hause Besitz ergriff.

Als ich ihn eines Abends auf dem kalten Zementboden hinterm Haus liegen sah, warf ich ihm einen Sack hin.

Am nächsten Morgen fand ich ihn noch immer auf dem Sack und goß ihm dort den Rest meines Kaffees in eine alte Konservendose. Von da an war es *sein* Sack und *sein* Napf und *sein* Haus, und ich war *sein* Mensch. Daran war nichts mehr zu ändern.

Hier war die Chance, nach der er sich sein Leben lang gesehnt hatte, und nun war er entschlossen, sie mit seinen Zähnen zu verteidigen. Jawohl, so feige er früher gewesen war: mit seinen Zähnen! Die entblößte er knurrend, als der schwarze Kater «Pirata», den ich mit anderem Inventar übernommen hatte, an die Konservendose heranstrich. Denn Pirata war Herr der Küchenreste.

Wie weit war Recki sonst vor diesem grünäugigen kralligen kleinen Panther ausgerissen!

Diesmal aber zog sich Pirata vor Reckis grimmigen Reißern zurück. Er tat zwar, als habe er nur etwas zu tun vergessen und werde wiederkommen, sobald er es erledigt habe; doch worauf es ankam, war, daß er ging und Recki blieb.

Schon in der nächsten Nacht weckte mich Hundegebell im Hofe. In der Hand einen wurfbereiten Pantoffel, stieß ich die Hintertür auf. Da saß Recki auf seinen dürren Keulen neben dem Myrtenbaum und bellte zornig ins Dunkel zu einer Straßenbank hin, die wie gewöhnlich von einem Liebespaar belegt war. «Fort! Fort!» bellte er, und die aufgeschreckten Hunde der Nachbarschaft, die sonst die Liebesbank nachsichtig überhörten, stimmten mit ein. Ich warf den Pantoffel nach Recki, ohne ihn damit zum Schweigen zu bringen. Was ist schon ein Pantoffel! Da war er gröberes Kaliber gewöhnt. Selbst als ich ihm die Schnauze zuhielt, blaffte es noch wie Schluckauf aus seiner Kehle.

So also wurde Recki zum Wächter meines Hauses, und anfangs bellte er lieber dreimal zu viel als einmal zu wenig. Ging jemand auch nur auf der Straße vorbei, legte er schon aus Leibeskräften los, und es war kaum zu glauben, welch mächtige Stimme in seinem dürren Leib steckte.

Bisweilen bellte er selbst dann, wenn niemand vorbeiging und die Liebesbank leer war. Das klang dann nicht drohend, sondern triumphierend. «Hau, hau!» bellte er, «Haus! Haus! *Mein* Haus! Haff, haff! Napf! Napf! *Mein* Napf! Waff! Sack! Waff! Wau! Haus! Wau!» Aus voller Brust rühmte er sich seines Besitzes, während die anderen Hunde, die stets ein Haus zum Bewachen hatten und einen Menschen zum Liebhaben, nicht verstanden, weshalb der Parvenü solch ein Aufsehen von Selbstverständlichkeiten machte. «Wau, wau, halts Maul, du Protz!» bellten sie zurück.

«Hau, hau, Haus, Haus!» scholl Reckis Triumph durch die Nacht. «Waff,

waff, Napf, Napf! Wau, waff, *mein* Mensch!» Wollten denn die andern nicht verstehen, wie wunderbar das alles war? Er fand kein Ende des Rühmens, bis sein Mensch verzweifelt nach der Wasserflasche auf dem Nachttisch griff und ihn durchs Fenster begoß.

Jäh in alte Paria-Gewohnheit zurückfallend, sauste er eingeklemmten Schwanzes über die Hecke.

Doch solche Rückfälle werden selten.

Von Tag zu Tag festigt Recki seine Stellung und sein Selbstbewußtsein. Jetzt beansprucht er schon – wedelnd zwar, doch nachdrücklich – morgens und abends seine Ration Milch mit eingebrocktem Brot, und wenn ich ihm mittags nichts aus dem Gasthaus mitbringe, tut er beleidigt. Zufallsvorteile fordert er später als gutes Recht. Seit ich ihm einmal die Milch gezuckert habe, schlabbert er an ungezuckerter nur widerwillig herum. So rasch gewöhnt man sich an Luxus!

Und so fest verpflichten Wohltaten – den, der sie spendet.

Gib einem Bettler den Groschen, den er erwartet, und er wird Gottes Segen auf dich herabflehen. Gib ihm eine Banknote – und er wird erwarten, daß du auch für seine Familie sorgst.

Hätte ich Recki gelegentlich einen Brocken zugeworfen: ich wäre sein Gott gewesen, zu dem er auf dem Bauch herangekrochen wäre. Da ich ihm nun Milch gab, verlangt er sie auch gezuckert und kratzt respektlos an mir herum, bis ich die Zuckerdose hole. Nachher erinnert er jaulend daran, daß es Zeit sei, spazieren zu gehen.

Jawohl, Recki, dieser Schakal, der auf modrigen Bananenblättern geschlafen und Abfälle gefressen hatte, die selbst den Geiern zu schlecht waren: dieser selbe Recki geht jetzt mit seinem Herrn spazieren wie irgend ein angesehener Hund, apportiert Aeste, jagt Katzen auf Kokospalmen und nur, wenn ihm ein anderer Hund nahe kommt, drückt er sich ängstlich an mein Bein. Denn die Hunde erkennen den Paria am Geruch, obwohl er jetzt die Ohren spitzt und den Schwanz übers Kreuz hochrollt. Wenn sie ihn so auffällig herumspringen sehen, ziehen sie langsam, wie verwundert, die Luft ein und knurren. Treibt sich der Paria-Köter wahrhaftig in der Hauptstraße herum! knurren sie. *Frech* ist der! Der traut sich vielleicht noch zum Metzgerladen! Doch scheu läuft Recki durch eine Seitengasse und erwartet mich erst hinter dem Metzger. Den Platz vor dem Laden respektiert er als den Treffpunkt der vornehmsten Hunde, als ihre Art Jockeyklub. Liegt doch vor der Schwelle kein Geringerer als der Herr Metzgerhund persönlich, den dicken Kopf auf den Pfoten und den Schwanz so längelang auf der Straße, daß die Radfahrer einen Bogen um ihn drehen müssen. *So* unbekümmert ist der! Und so vornehm ist er, daß sich selbst der fette Wolfshund von Moreninhas Gasthaus erst in angemessener Distanz von ihm zu lagern wagt. In weiterem Bogen liegen einige Hunde, deren Menschen der Herr Metzgerhund als gute Kunden kennt. Ich habe noch nie gesehen, daß diesen Hunden je ein Knochen aus dem Laden zugeworfen worden wäre. Sie begnügen sich mit dem Duft und erfüllen nebstbei eine Art gesellschaftlicher Verpflichtung.

Die Hunde Paquetás sind örtlich und gesellschaftlich genau geordnet. Da die Insel, klein und fast autofrei, Hunden überall zugänglich ist, kennt jeder ihrer Hunde sie bis in den letzten Winkel.

Nähme man einen Inselhund auf der Fähre nach Rio de Janeiro mit, würde er dort auch bei hellem Tag so hilflos umherirren, als sei er auf den Mond geraten. Brächte man ihn aber in stockfinsterer Nacht nach dem entlegensten Strand Paquetás – der Fischerhütte etwa auf dem Südost-Riff, das nur bei Ebbe zugänglich ist – würde er nicht nur sofort wissen, wo er ist, sondern auch, welchem Hund diese Hütte und der Mensch gehört, der sich einbildet, jene Hütte gehöre ihm. Er wird ferner wissen, ob er den Hund dort besuchen darf, oder nicht besser daran täte, auf dem kürzesten Weg heimzulaufen (der ihm nebst allen Hunden, Mauerecken, Baum- und Palmstämmen, die an ihm liegen, genau bekannt wäre).

Denn so verhält es sich wiederum nicht, daß ein Paquetá-Hund überall Zutritt hat; vielmehr gehören bestimmte Reviere bestimmten Hunden, und nicht einmal der Herr Metzgerhund würde sich ins Bambusdschungel auf dem Nordhügel wagen. Denn *das* Revier gehört den Pariahunden, und die würden ihn mit besonderer Genugtuung hinausbeissen.

Nun versteht man, welche Dreistigkeit Recki aufbringen muß, um mich auf meinen Spaziergängen zu begleiten. Die ersten Male hatte er einige Beissereien zu bestehen. Aber sein Fell ist dick, und seine Zuversicht wächst, seit er sich in meinem Schutze weiß.

Nach dem Frühstück pflege ich den Park aufzusuchen, der zu Ehren der einst hier siedelnden Indianer «Park der Tamoios» heißt. Um eine Bronzebüste des Komponisten Carlos Gomez gruppiert sich hier der Versuch eines europäischen Gartens mit Rosenstöcken und Zinnien- und Tagetes-Beeten in kurz geschorenem Rasen. Eine Pergola lila und roter Bougainvilleas schaut auf sie so von oben herab wie alt eingesessene Brasilianer auf neue Einwanderer. Auch der dunkellaubige alte Mangobaum, dessen riesige Krone den ganzen Park beschattet, sieht sich den modernen Zauber von oben an, obzwar eigentlich auch er Ausländer ist. Ich sitze gern unter ihm, wenn die Morgenbrise in seinem runden Wipfel spielt und in der Ferne der erste Fährdampfer die rosa aufglimmenden Kräuselwellen der Bai furcht.

Das Fährenbett liegt weit genug, daß ich den Lärm nicht höre. Noch unbeschwert – denn die Zeitung kommt erst mit dieser Fähre – habe ich das beruhigende Gefühl, hier seßhaft zu sein, daheim unter der üppigen Bougainvillea und hinter den dicken schwarzen Granitklippen, die wie eine Herde See-Elefanten triefend aus dem flachen Wasser auftauchen. Ach, endlich ruhig sitzen! Und das kommt hinzu, auf einer Holzbank sitzen, während die Insel sonst Steinbänke bevorzugt, die meine Ischias übelnimmt.

Diese ruhige Morgenstunde im Park der Tamoio-Indianer hat jedoch bedenklich gelitten, seit Recki mich begleitet. Erstens wünscht er zu spielen, und wenn ich nicht mitmache, spielt er allein, indem er sich im Rasen wälzt und in die Luft schnappt. Nun ist von allen Rasenplätzen der Insel einzig dieser den Hunden verboten. Ihn dem salzigen Sandstrand abzugewinnen, hat dem schnauzbärtigen alten Gärtner der Insel zu viel Mühe gekostet, als daß er ihn von Hunden zerscharren ließe. So mild der Alte sonst ist: er mahnt mich doch, ich möge meinen Hund vom Rasen rufen. Er sei nicht *mein* Hund, wende ich ein. Der Alte wird ärgerlich. Wieso nicht meiner? Jeder wisse, daß Recki mir gehöre.

Darin nämlich gleichen die Inselmenschen den Inselhunden, daß jeder alles vom andern weiß.

Wie soll ich den Gärtner überzeugen? Anderswo gehört ein Hund *dem* Menschen, der für ihn Hundesteuer zahlt; in Brasilien steht sie nur auf dem Papier; kaum jeder zehnte kümmert sich um sie. Wem also gehört der Hund? Dem, hinter dem er herläuft. Dagegen ist nichts zu machen. Deshalb verlasse ich den Park der Tamoio-Indianer.

Fröhlich, mit nassen Pfoten an mir hochspringend, fordert mich Recki auf, ihm eine Kokosnuß hinzuwerfen. Die zerbricht er, zerbeißt er, zerknackt er. Seit er Mensch und Haus besitzt, erweist er eine leidige Zerstörungssucht. Er will etwas vernichten, daß die Fetzen fliegen. Ein Psychoanalytiker würde sagen: er reagiert seinen Minderwertigkeitskomplex ab. Das ist eine elegante Diagnose, die aber so wenig nützt wie viele andere dieser Herkunft. Sie kann kaum erklären, geschweige denn verhindern, daß Recki seinen Minderwertigkeitskomplex auf meine Kosten abreagiert.

Ein still dahinschlendernder Mulatte, dem Recki an die Beine fährt, wird mit einem Male überaus gesprächig. Der Teufel möge den Hund holen und mich dazu! wünscht er, indem er nach Recki tritt, der ihm geübt ausweicht. – Warum mich? begehre ich auf. – Warum? Weil ich ihn verdorben hätte! Wisse die Insel nicht, wie schüchtern Recki war? Dankbar, wenn man ihm nichts tat. Und jetzt: so eine Bestie! Der Teufel hole ihn und mich und alle Fremden dazu!

Tatsächlich bin ich schuld daran, daß Recki so frech geworden ist. Wenn er sich aufspielt, sehe ich ihm mit dem Behagen eines Vaters zu, der sich noch was darauf einbildet, daß sein Flegel von Sohn den Nachbarjungen verhaut. Was Recki brauchte, wären Prügel. Statt dessen bin ich stolz auf ihn.

Und habe ich nicht Grund dazu?

Wer würde in dem schmucken schwarzen Spitz, der vor mir hertänzelt, den dürren Paria-Köter wiedererkennen, der mit hängendem Schwanz hinter Geiern hergeschlichen war? Reckis Fell ist dicht geworden und glänzt wie das eines Schwarzfuchses. An einen Fuchs erinnert auch sein zierlicher Kopf mit den großen und klugen braunen Augen, den hochgestellten – leider etwas zerfetzten – Ohren und der spitzen scharfzähnigen Schnauze. Die Flanken flimmern rotbraun und die Brust trägt, seit ich ihr die Schmutzkruste abgewaschen habe, ein weißes Plastron. Weiß besockt sind auch die Pfoten. Ein flotter Hund, wie es nicht viele auf der Insel gibt. Schon beginnen die behausten Hunde, ihn nachsichtig zu beschnuppern. Wahrscheinlich riecht er auch schon besser.

All das bringt ordentliches Futter fertig, ein Heim und ein wenig Liebe...

Mehr bringt es fertig als «Rasse». Recki beweist es.

Wir sprechen so viel von Rasse – wir sprechen zu viel von ihr. Selbst bei Hunden überschätzen wir sie.

Jage deinen rassereinen Hund aus dem Haus und sieh zu, wie bald er verkommt.

Nimm einen Straßenköter ins Haus und sieh zu, welch «rassiges» Aussehen er gewinnt und welchen Rassenstolz!

Je länger man das Rassenproblem überdenkt, um so mehr vereinfacht es sich auf zwei Faktoren: Umgebung und Pflege.

Dem bengalischen Tiger wächst in Sibirien ein struppiges Fell, und sein Leib wird gedrungener. Das macht die Umgebung: Schnee statt Dschungel. Der Neger in Nordamerika wird heller, der Weiße in Afrika wird dunkler. Auch das macht die Umgebung.

Ist der Polarfuchs von anderer «Rasse» als der Rotfuchs?

Äußerlich gewiß. Er ist anders gefärbt, nährt sich anders und wohnt anders. Lassen wir sie aber die Plätze tauschen, so wird der Rotfuchs heller werden und Fische fressen, während der Polarfuchs nachdunkeln und sich an Feldmäuse halten wird.

So viel vermag Umgebung über Rasse!

Mehr noch vermag Behandlung.

Recki beweist es.

Nur er? Nur ein Tier?

Auch Menschen beweisen es.

Heimatlos, entrechtet, verkommen sie.

Ihr *Schicksal* trägt die Schuld, nicht ihre «Rasse».

Diese selben Menschen, dieses selbe Volk mit Liebe behandelt, befreit von –
nun beispielsweise von Sklaverei oder Ghetto – wird, zugegeben, zunächst
überheblich werden und allzu betriebsam.

Es dauert seine Zeit, bis es das rechte Maß gewonnen hat, und man sollte ihm
Zeit dazu lassen. Auch Recki protzte, kaum daß er arriviert war.

Seit ich Recki beobachte, weiß ich, weshalb so manche Menschen und Men-
schengruppen zu auffälligen Kleidern neigen, zu Brillantringen, Goldzähnen
und Übergeschäftigkeit. Weshalb sie so laut: Villa! Auto! Geld! rufen. Ihre
Rasse hat so wenig Schuld daran wie Reckis.

Letzten Endes nämlich stammen alle Hunde von Wölfen oder Schakalen ab und alle Menschen von irgendwelchen Neandertalern. Umgebung und – vor allem! – Behandlung hat sie verschieden beeinflußt. Was wir eine «gute» Rasse nennen, ist im Grunde eine gut gepflegte, denn ein bißchen Liebe ist wichtiger als eine ellenlange Ahnentafel. Nicht die schwarze Rasse oder die jüdische ist minderwertig: sondern Sklaverei und Ghetto.

Während ich das schreibe, liegt Recki zu meinen Füßen, denn den Zutritt in die Sala hat er nun auch durchgesetzt. Wie könnte ich ihm die Gleichberechtigung mit dem Kater verwehren? Er ist jetzt ebenso sauber, und nur Narben, über die kein Fell mehr wachsen will, erinnern daran, daß die andern ihn einst ungestraft mißhandeln durften.

War das *seine* Schuld?

Jetzt schläft er in der Sala, nachdem er seine Abendmilch verzehrt hat – und ein Stück rohes Fleisch dazu, das eigentlich dem Kater Pirata gehört hätte.

*

Wir saßen zu viert auf meiner kleinen Veranda: die amerikanische Nachbarin, ein Ehepaar von der Insel und ich – die größte Gesellschaft, die bis dahin in meinem Inselhaus beisammen war. Der Himmel war so dunstig, daß nur ein gelblich glimmender Fleck andeutete, wo der Mond stand. Ein föhniger Wind klatschte kleine zottige Wellen an den Strandweg. Es frühlingte. In der Nähe schrien brünstige Katzen.

«Das wird wieder eine Nacht werden!» seufzte ich.

«Ja, die Katzen», sagte der Ehemann vor sich hin, ein verbindlicher Brasilianer von etwa fünfzig Jahren. Ich hatte ihn auf der Fähre kennengelernt, und daraus hatte sich ein angenehmer, weil seltener Verkehr entwickelt. Nun war er zum erstenmal mit seiner sanften blonden Frau bei mir, einer Engländerin.

«Ja, die Katzen», wiederholte er und fuhr im Märchenton fort: «Als Noah von allen Tieren ein Paar in seiner Arche hatte, verbot er ihnen, einander zu lieben; denn für Junge hatte er keinen Platz. Die Giraffe sollte aufpassen, weil sie den längsten Hals hat. Nach der Sintflut gingen die Tiere wieder aus der Arche: der Ziegenbock mit der Ziege, der Tauber mit der Taube, der Wolf mit der Wölfin und so jedes mit seinem Weibchen – doch dem Kater mit der Katze liefen Junge nach: sechs kleine Kätzchen. – ‚Du hast nicht aufgepaßt‘! erzürnte sich Noah über die Giraffe. ‚Die Katzen haben einander *doch* geliebt!‘ ‚Geliebt?‘ staunte die Giraffe, ‚ich hatte geglaubt, sie raufen...‘»

Hinter dem Hause kreischten die Katzen wie erbost auf, und ich schickte den Knaben Roberto, der den Butler machte, sie zu verjagen. Recki nämlich tut Katzen nichts zuleide, so angriffig er sonst geworden ist. Das hängt, denke ich, mit der langen Narbe auf seiner rechten Wange zusammen. Außerdem hätte er sich unter keinen Umständen entfernt, denn meine Nachbarin hatte ihren kleinen schwarzen Dackel «Antonio» mitgebracht, und Reckis Augen blinkten grün vor Aufmerksamkeit, ob der nicht etwas zu fressen bekäme.

«Ich mag Katzen nicht», bemerkte die Amerikanerin, eine gutmütige Vierzigerin überquellenden Herzens und Busens. Wie gut sie war, hatte sie bewiesen, als sie meinen Cocktail lobte, der ein Experiment war. Ich hatte dem bewährten Martini-Rezept einen Schuß Kakaolikör zugesetzt und das Ergebnis in einer geeisten Kokosnuß serviert; es schmeckte so absonderlich, daß ich einen andern Cocktail schütteln mußte; sie aber blieb beim Kokos-Kakao-Martini.

«Auch mir sind Hunde lieber», sagte ich, «aber hier gibt es zu viele.»

«*Ich* habe vier», bemerkte sie etwas spitz, «und sie sind mir nicht zu viel.»

Ich beeilte mich zu versichern, daß ich nicht *ihre* Hunde gemeint habe. Doch gäbe es elf im Landhaus des seligen Dom João VI.; sei *das* nicht vielleicht doch etwas viel?

Dort seien leider nicht mehr elf, korrigierte sie, sondern nurmehr neun. Zwei seien jener schrecklichen Nacht zum Opfer gefallen, in der die Präfektur Gift gegen streunende Hunde hatte legen lassen.

«Neun also», räumte ich ein. «Sind neun Hunde nicht zu viel?»

«Jedenfalls sind neun weniger als elf», stellte sie fest, und dagegen war nichts einzuwenden.

Ich ließ das Thema fallen und erkundigte mich nach den Vögeln der Insel, an denen sie sehr reich ist.

Recki rieb sich gerade an den Hosen des Ehemanns, denn ein Hund hat einen feinen Instinkt dafür, wer ihn nicht leiden mag, um sich gerade ihm aufzudrängen.

«Was für Vögel es hier gibt?» wiederholte mein Gast die letzte Frage und versuchte dabei, unauffällig nach Recki zu treten. «Allerlei Vögel. Viele kleine Beijaflores («Blumenküsser» heißen die Kolibris hier) und einen Vogel mit einer gelben Brust, der schon um fünf Uhr früh pfeift...» schloß er, indem er durch die Nase gähnte.

Plötzlich ereignete sich zweierlei so gleichzeitig wie Blitz und Donner, wenn es einschlägt: von einer Insel gegenüber stieg eine Rakete auf und zerknallte über ihrem orangenen Schweif in weiße, rote und grüne Leuchtkugeln, und im gleichen Augenblick stürzte sich Recki auf Antonio.

Diese beiden Überraschungen steigerten einander, indem sie auf geradezu diabolische Weise zusammenzuhängen schienen. Erst als der stillen blonden Frau des Brasilianers ein Manhattan- und der amerikanischen Dame ein mehr klebriger Kakao-Cocktail über ihre hübschen hellen Kleider geflossen war, bekamen wir den Tisch beiseite, unter dem die beiden Hunde roulierten. Drüben auf der Insel knatterte ein kreisendes Feuerrad los, und ich schüttete, was noch im Shaker war, über die beiden Hunde. Da der Cocktail gut geeist war, ließen sie voneinander ab, so daß die Amerikanerin ihren kleinen Dackel am Halsband hochheben konnte. Eines seiner Schlappohren war durchlocht wie ein Umsteigebillet, während Recki von dem kleinen, aber scharfzähnigen Dackel zwei Bisse in die Keule abbekommen hatte, einen innen und einen außen. Ich schloß ihn ins Badezimmer ein, ohne mir weiter Sorgen um ihn zu machen. Recki behandelt sich selbst, indem er die Haare von den Wundrändern nagt, bis sie wie rasiert aussehen; dann beleckt er die Wunde und ist zwei Tage später zu neuen Taten bereit. Auch meine Nachbarin hat die Ohren ihres Dackels nicht zum erstenmal perforiert gesehen, und da der Schaden an Kleidern in einem Lande wenig bedeutet, in dem die Wäschereien wahre Künstler ihres Faches sind, oblag mir nur, einen neuen Cocktail zu schütteln.

Inzwischen brannte auf der Insel gegenüber ein wahres Gala-Feuerwerk ab: Sonnen und bengalische Flammen und eine Rakete nach der andern und manche sogar paarweise, so daß ihre enormen Steilbogen einander in der Himmelsschwärze überschnitten. Es war großartig!

Auf der stillen Insel Paquetá ist man für jede Aufregung dankbar. Meine Nachbarin, die schon fünf Jahre hier wohnt, rühmte geradezu begeistert, daß sie sich an nichts Ähnliches erinnern könne. Einmal habe sie einen Radfahrer ins Meer fallen gesehen und ein andermal einen ganz bösen Sturm mitgemacht, aber so etwas wie diesen Hundekampf mit Raketen – nein!

«Man tut, was man kann», sagte ich bescheiden, und die stille Ehefrau meinte, es sei fast zu viel gewesen.

Der Ehemann hingegen stellte sachlich fest, daß das Feuerwerk dem Schutzpatron der Insel, dem heiligen Rochus, gälte, dessen Fest morgen beginne, während er die Beisserei damit begründete, daß meine Nachbarin ihrem Dackel heimlich ein Ingwerbiskuit zugesteckt habe. Er ist Jurist beim Zollamt und deshalb imstande, auch komplizierte Positionen klarzulegen. Abschließend meinte er, daß wir auch ohne so explosive Tiere beisammen sein könnten, und da ihm anzuhören war, daß er dies sogar vorgezogen hätte, brachte meine Nachbarin den Zwergdackel in ihr Haus, von wo wir ihn noch lange mit den drei andern Hunden zanken hörten, die von vornherein hatten zu Hause bleiben müssen und deshalb schadenfroh waren.

Wir hingegen saßen noch geraume Zeit friedlich plaudernd beisammen. Ein solches Feuerwerk sieht man nicht alle Tage. Außerdem war das Wetter so drückend warm geworden, daß es jeden Entschluß – und sei es nur den, sich zu verabschieden – verlangsamte.

Schließlich wollten meine Gäste wirklich aufbrechen, und jedem fiel eine andere zwingende Begründung dafür ein: die Nachbarin wollte nach dem durchlöcherten Ohr ihres Dackels sehen – ganz hatte sie es meinem Hund noch nicht verziehen – und die Eheleute nach ihrem Baby.

Außerdem setzt hier zwar jedermann voraus, daß eine Einladung zum Cocktail auch ein kaltes Dinner einschließt, doch gehört es zum guten Ton der Insel, Erschrecken zu heucheln, weil daheim das Essen warte.

Nach dem kalten Dinner also schüttelte ich den allerletzten Cocktail.

«Ich sollte längst bei Antonio sein!» protestierte meine Nachbarin, aber es klang nicht überzeugend.

«Der arme Antonio!» bedauerte ich. «Trinken Sie noch einen ganz kleinen Cocktail, und ich erzähle Ihnen eine Geschichte für ihn:

«Als Gott Adam und Eva aus dem Paradiese vertrieb, wichen alle Tiere von ihnen. Vorher hatte zu ihren Füßen der Löwe mit dem Lamm geruht und zu ihren Häupten hatte die Taube neben dem Sperber genistet. Doch nun fürchteten die Tiere einander, und am meisten fürchteten sie die Menschen, die Gott verflucht hatte. Noch lagerten vor des Paradieses Tor, durch das Adam und Eva hinausgejagt worden waren, die Cherubim mit dem ‚bloßen hauenden Schwerte‘. Es donnerte und blitzte, und es goß dazu in Strömen, und es hagelte wahrscheinlich auch, denn es läßt sich denken, wie das Wetter aussieht, wenn Gott flucht. Da vernahmen die Cherubim, die vor dem Paradiese wachten, ein Kratzen und Winseln und taten einen kleinen Spalt auf, um nachzusehen. Ein Hund winselte sie an, der Hund von Adam und Eva. Ich nehme an, es war ein kleiner Hund mit buschigem Schwanz wie ein Schakal, eine Art Spitz, denn die andern Rassen sind erst später gezüchtet worden, während sich Skelette von Spitzen schon in Pfahlbauten finden. Der kleine Hund duckte sich unter den flammenden Schwertern durch und huschte hinaus. ‚Tier!‘ rief ihm ein Cherub nach, ‚du läufst aus dem Paradiese!‘ – ‚Und noch dazu den Verfluchten nach!‘ verwunderte sich der andere. Aber der Hund wandte nicht einmal den Kopf. Da eilte ihm der Cherub nach und griff nach ihm. Doch der Hund knurrte und biß den Cherub in den Flügel – Sie wissen, daß Cherubim in der Hauptsache aus Flügeln bestehen. Da zückte der Cherub sein Schwert gegen den Hund. Doch Gott, der alles sieht, lächelte und ließ es zu, daß der Hund Adam und Eva folgte. Für seine Treue wurde ihm verziehen, daß er gebissen hatte – nicht bloß in ein Dackelohr, sondern sogar in einen Engelsflügel...»

«Ich verzeihe ihm auch», sagte meine Nachbarin großmütig.

Am andern Morgen schickte sie Recki einen Kotelettknochen, an dem noch ziemlich viel Fleisch war, und als ich, viele Monate später, meinen Hund auf der Insel zurücklassen mußte, weil ich nach Amazonien reiste, adoptierte ihn die Gute.

Recki sei ein guter, wenn auch hochmütiger Hund, schrieb sie mir später. Er habe es durchgesetzt, als erster gefüttert zu werden.

Jaja, Recki, der Paria...

DIE BLAUE HÜNDIN

(Auf der Gouverneurs-Insel in der Bai von Rio de Janeiro, 1947)

Wenn Mr. Mac Gregor und Nora gemächlich wiegenden Schrittes den Strand entlang wandern, passen sie so gut zusammen, daß sie einander fast ähnlich sehen: beide mit großem Rundkopf, dessen überreichliche Haut in Falten phlegmatischer Besinnlichkeit liegt, beide mit breiter Brust und kräftigen, wenn auch gebogenen Beinen. Nur daß er ein alter schottischer Ingenieur ist und sie eine braun und ziegelrot gestromte Bulldogge.

Manches Lächeln folgt den beiden, wenn sie in der Abendkühle dem Wirtshaus zustreben, das, obschon klein, sein Bier besser zu pflegen versteht als manches feine Restaurant. *Folgt* ihnen, wohlgemerkt, denn ihnen ins Gesicht zu lächeln, ließe der Respekt nicht zu, der hinter ihren behäbigen Bewegungen und schläfrig blinzelnden Augen eine verhaltene Kraft gefährlichen Ausmaßes ahnt. Selbst die spatzigen Mulattenbübchen vom Hügel der Wäscherinnen – kleine Dämonen unserer sonst friedlichen Insel – lassen die beiden in Frieden.

Im Wirtshaus wenden sich die beiden dem Ecktischchen zu, das der Wirt auch dann für sie freihält, wenn die Mechaniker der «Standard Oil» und die Stauer der Fähre stehend trinken müssen. Und so grobschlächtige Männer das auch sind, in deren haarigen Fäusten das Schnapsglas verschwindet: *den* Tisch respektieren sie.

Wenn der Alte und die Hündin sich dort niederlassen – er die plumpen, altersrunden Schultern an beide Wände der Ecke stützend, sie mit röchelndem Schnaufen zwischen seinen breit gestellten Beinsäulen zu Boden sinkend –, heben die Männer an der Bar zwei Finger, dick wie Cervelat-Würste, an ihre alten Matrosenmützen, und das ist das Äußerste an feinem Benehmen, das sich von ihnen erwarten läßt. Worauf Mac Gregor so röchelt wie vorher seine Hün-

din – was wiederum *sein* Äußerstes an höflichem Gruß ist – und das erste Glas Porter einsaugt, das ihm der Wirt indessen aus einer besonders sorgfältig gekühlten Flasche eingeschenkt hat.

Ein Porter, eine «Kaschassa» – brennend scharfer Zuckerrohr-Sprit – ist der Trinkrhythmus des alten Schotten, jambisch lang-kurz, lang-kurz, während den brasilianischen Stammgästen der muntere Trochäus angemessen ist; sie beginnen mit Kaschassa und spülen helles Bier nach.

Aus wie vielen Versfüßen Mr. Mac Gregors Abendtrunk besteht, weiß ich nicht. Doch wären es selbst Alexandriner: sie sind ihm nicht anzumerken, wenn er sich punkt elf Uhr erhebt, um heimwärts zu wandern. Er schwankt dabei nicht anders als beim Hinweg: wie ein Seemann nämlich, nicht wie ein Betrunkener.

Dabei hält er die Bulldogge an der Leine; nicht, um sich von ihr leiten zu lassen – obschon sie stark genug wäre, ihn zu ziehen –, sondern um sie von den streunenden Hunden abzuhalten, die um diese Zeit die Abfalleimer durchstöbern.

Solche Hunde vertreten in ihrer Gesellschaft etwa die Stelle unserer Mulattenbübchen vom Wäscherinnen-Hügel. Ärmlichen Behausungen lose zugesellt (mehr des Schlafens als des Essens wegen, das dort kaum für die Menschen ausreicht), suchen sie ihre Nahrung auf Strand und Straße. Das Dunkel macht sie dreist, und obzwar sie sich auch nachts nicht in fremde Gehöfte wagen, fallen sie doch über die Mülleimer her, die vor den Gartentüren stehen.

Hinterm Zaun blaffen die ehrbaren Haushunde, wütend vor Futterneid noch auf das, was sie selbst verschmäht hatten, während draußen die mageren, nicht selten von Räude angefressenen Köter die Blecheimer umwerfen, um deren Inhalt nach schon benagten Knochen, nach Fischgräten, ja nach Kartoffelschalen zu durchstöbern.

Solch gierigen Stöberns wegen, dessen Klappern ihn weithin verrät, heißt solch ein Hund «Viralata», was aus «vira: dreht um» und «lata: Blecheimer» zusammengesetzt und ein Ekelname ist, den ein rechtschaffener Haushund mit Eck- und Reißzähnen beantworten würde.

Es darf allerdings nicht verschwiegen werden, daß bisweilen auch ein seriöser Haushund an den Unrat-Stöbereien und den wilden Liebesabenteuern der Viralatas teilnimmt, wie ja bisweilen auch ein wohlerzogener Knabe zu den Mulatten-Bengeln des Wäscherinnen-Hügels schleicht, oder es vorkommen mag, daß ein angesehener Bürger – ja, sogar ein Bankdirektor! – ein dunkles Doppelleben führt.

So ist der feiste Wolfshund vom Südstrand der Insel ein heimlicher Viralata, und dabei handelt sein Herr mit Dörrfleisch, Speck und Knoblauchwürsten! Selbst diesen ehrwürdig um die Schnauze ergrauten Haushund treibt von Zeit zu Zeit eine quartalsäuferische Gier aus dem patrizierhaften Duft seines Ladens zum Abhub von Fraß und Liebe.

Schleicht er, solch einem Anfall unterliegend, scheu in der Dunkelheit vorbei, höhnen ihm die Mulattenbuben ein gellendes «Viralata!» nach. Und obschon er tut, als höre er es nicht, hört er es doch so peinlich wie ich, wenn sie mir «Careca! — Kahlkopf!» nachplärren.

Vermessen aber wäre es – und, wahrlich, *das* wagte niemand! — Mr. Mac Gregors Bulldogge «Viralata!» nachzurufen. Denn obschon die Welt schlecht ist, und selbst Damen, von denen man es nicht erwartet hätte, auf Abwege geraten, ist Nora über jeden Zweifel erhaben.

Als einzige reinrassige englische Bulldogge unserer Insel mit überaus zahlreichen standesgemäßen Ahnen würde sie, selbst wenn man ihre Kraft nicht fürchtete, gleich einer Botschaftersgattin als distinguierte Fremde respektiert werden. Außer den beiden Fleischerhunden (und vielleicht noch der belgischen Schäferhündin des feinsten Insel-Restaurants) ist ihr kein anderer Hund standesgemäß. Sie steht auf der Höhe einer Hunde-Rangordnung, an deren unterster Sprosse erst ein kastenloser Viralata sein Bein aufheben darf.

Gesetzt den Fall, Nora erschnappte sich was im Fleischerladen: der Metzger würde ihr nicht etwa einen der Kiesel nachwerfen, die er griffbereit neben seinen Hackklotz gelegt hat, sondern er würde sie als Kundschaft achten und das Stück Fleisch Mac Gregor auf die Rechnung setzen (als Filet Mignon, versteht sich). Damit soll nicht gesagt sein, daß Nora Fleisch anderswo anrührt als in ihrem Napf; das Beispiel wurde nur gewählt, um ihre geradezu exterritoriale Stellung zu veranschaulichen.

Deren ist sie sich auch bewußt. Mit Würde watschelt sie groß und dick neben ihrem großen und dicken Herrn nach Hause, so ausgesprochen häßlich, daß sie schon wieder schön wirkt. Mit lockeren Lefzen schnaubt sie dabei das sabbernde Röcheln, das unter Bulldoggen für fein gilt, weil es die rasseechte Verengung ihrer Nasengänge erweist.

Während der alte Herr die Nachtbrise nur kühlend im flaumweichen Weißhaar-Kranz spielen fühlt, der seinen sonst blanken Kugelkopf säumt, erschnuppert sie im Winde schon den Duft ihres Heims: eines weitläufigen, ebenerdigen Baus aus der portugiesischen Kolonialzeit, weiß gekalkt, mit einer breiten, von baumstarken Bougainvilleas lila umblühten Veranda und – worauf es ihr vor allem ankommt – einer geräumigen, wohlriechenden Küche.

Hat Mr. Mac Gregor das Gartentor aufgeschlossen, beugt er sich langsam zu Nora nieder, wobei er vor Anstrengung kaum weniger schnauft als sie, hakt ihr die Leine vom Halsband und öffnet dieses (wobei die Frage offen bleibt, weshalb er, der als Ingenieur berufen wäre, die technisch vollendetste Lösung zu finden, die Leine nicht gleich für den nächsten Tag am Halsband beläßt). Dann tappt er schweren Schrittes seiner Gattin entgegen, die es sich, wer weiß wie lange, abgewöhnt hat, seinetwegen wach zu bleiben. Indessen schnauft die feiste Bulldogge ins geräumige Hundehaus, auf dem in weißen Blocklettern «NORA» steht.

Über der Haustür hingegen steht nicht der Name ihres Herrn, sondern «Solitude».

Warum das? Warum «Einsamkeit»?

Auch diese Frage muß offen bleiben. Jedermann auf unserer Insel weiß, daß nicht nur die alten Mac Gregors mit Nora dort wohnen, sondern auch ihre unverheiratete Tochter, ihr Sohn mit Frau und Kindern, eine Mulatten-Köchin, ein Neger-Gärtner, ein grüner Papagei und ein gelblicher Spitz mit altersgelähmten Hinterbeinen. Wozu tagsüber noch die Kinder der Nachbarschaft kommen, die mit Mac Gregors Enkelkindern Haschen spielen, Drachen steigen lassen oder sich auf andere Weise schmutzig machen.

Fürwahr, eine sonderbare «Einsamkeit»!

Nun, mag sein, sie ist es dennoch für den Alten, der schon im Wirtshaus bewiesen hat, daß er auch in lärmiger Gesellschaft für sich zu bleiben versteht. Gewiß ist sie es aber für Nora, die viel zu vornehm ist, um sich mit anderen Menschen als ihrem eigenen abzugeben.

*

Die ins Einzelne gehende Darstellung des Mac Gregorschen Haushalts mag den Anschein erwecken, als stünde ich mit Herrn und Hund auf vertrautem Fuße. Doch auch dieser Schein trügt, denn meine Bekanntschaft mit Mr. Mac Gregor hat sich jahrelang auf den üblichen Inselgruß beschränkt, der im leichten Winken eines Fingers besteht. Meine Beziehungen zu Nora aber sind noch nicht einmal so weit gediehen, denn das einzige Mal, daß ich sie zu streicheln versuchte, wandte sie sich mit unmutigem Röcheln ab. Nein, daß ich über die beiden Bescheid weiß, verdanke ich nur der Atmosphäre unserer Insel, die, seltsam leitend, auch jenen mit den Gewohnheiten und Eigenarten seiner Mitbürger vertraut macht, der, wie ich, nicht danach fragt.

Woher sonst wüßte ich, daß Nora dem weißen Bulldoggrüden «Samson» zugeführt wurde, der schon «Bester Hund» des Kennel-Club Rio gewesen ist? Der Ostwind muß es mir zugetragen haben, der häufig von der Stadt Niteroi, in der Samson lebt, auf unsere Insel weht. Vielleicht auch haben die Leute auf der Fähre davon gesprochen, und es ist, während ich Zeitung las, in mein Unterbewußtsein eingedrungen. Jedenfalls wußte ich es, und als ich neun Wochen später den alten Herrn ohne Nora seinem Abendtrunk zustreben sah, reimte ich mir den Grund zusammen. Denn neun Wochen bedeuten für Hündinnen eine so wichtige Frist wie neun Monate für Frauen.

So groß und stark Mr. Mac Gregor auch ist: ohne seine Hündin wirkte er unvollständig. Er schwankte nicht wie sonst seemannsmäßig, sondern eher oberlastig, als habe sich sein Schwerpunkt verlagert. Auch seinem Gruß fehlte diesmal der Gleichmut des behaglich in sich Ruhenden, der seine Umwelt nur obenhin zur Kenntnis nimmt.

Ganz gegen seine Gewohnheit blieb er stehn, und seine wasserblauen kleinen Augen zwinkerten mich feucht an. Wäre das Licht besser gewesen – ich hätte sehen können, ob es Tränen waren. Die Stimme ließ sie vermuten.

«Too bad», zitterte sie heiser und wiederholte: «*too* bad!»

«Nora?» fragte ich teilnehmend, denn was sonst hätte dem Alten «*zu* schlimm» erscheinen können – *so* schlimm in der Tat, daß der Wortkarge damit einen Halbfremden ansprach.

«Nora!» seufzte er bestätigend. «Sie bekommt die Jungen nicht hinaus.»

Das war nun freilich schlimm, denn Bulldogg-Hündinnen werfen schon im allgemeinen schwer, weil die dicken Köpfe den Durchgang sperren; hatte ihnen dazu noch Samson seinen prämiiert großen Schädel vererbt, mochte Nora arg zu leiden haben.

Da der Alte merkte, daß mein Bedauern aufrichtig war, lud er mich zu einem Glas Porter ein, und diesmal blieb es wirklich bei *einem*, denn er war viel zu unruhig, um seinen gewohnten Rhythmus einzuhalten. Hätte seine Frau ihn nicht fortgeschickt, wäre er nicht von Nora fortgegangen, beteuerte er. Aber Frauen meinen, nur sie verstünden etwas vom Kinderkriegen, obzwar jeder Tierarzt – aber gäbe es denn einen Tierarzt auf dieser gottverlassenen Insel?

Weshalb er nicht den Tierarzt des Kennel-Clubs kommen lasse, fragte ich.

Was der wohl rechnen würde! fuhr er auf. Obschon er ihm – ächzte er – doch telephonieren würde, wenn es nicht anders ginge.

Davor schien er fast ebensoviel Angst zu haben wie vor Noras Zustand, denn er ist ein Schotte, wie er im Buch steht, und schon, daß er mich zu *einem* Glas Bier eingeladen hatte, bewies, daß er tief erschüttert war. Daß ich aber nun die um vieles erheblicheren Spesen des teuersten Tierarztes von Rio befürwortete – an den er gewiß schon selbst gedacht hatte, ohne doch den Mut zum Honorar aufzubringen –, setzte seiner keimenden Zuneigung zu mir ein rasches Ende. Der alte Herr zog sich in sich selbst zurück, und auf dem Heimweg murmelte er nur noch bekümmerte Monologe.

Nun, der Heimweg war so kurz, wie die meisten Wege unserer Insel, und noch bevor wir am Tor waren, rief uns seine Tochter von der Veranda entgegen: «Alles in Ordnung, Vater! Vier Junge!»

Der Alte straffte sich: «Sehen Sie, und *Sie* wollten schon den Tierarzt des Kennel-Clubs holen!» Damit beugte er sich zu mir herab, bemerkte, daß ich kein Halsband trug, und verabschiedete sich hastig.

«Sie wissen, wie Vater ist», entschuldigte ihn die Tochter, die vor der Tür geblieben war. Sie ist einem Gespräch nicht abgeneigt, weil ihr Vater sie auch darin knapp hält. «Wollen Sie die Jungen sehen? Es sind zwei Rüden und zwei Weibchen – *sooo* lieb!»

Aber das getraute ich mich nicht; denn selbst umgänglichere Hündinnen als Nora beißen, wenn man ihrem Wurf zu nahe kommt. «Bis sie größer sind», verschob ich es also, «in zwei, drei Wochen.»

«Wollen Sie eines haben?» fragte sie. – «*Kaufen*», verbesserte sie sich sofort, denn wenngleich ihre Mutter Brasilianerin ist, machen sich auch fünfzig Prozent schottischen Bluts geltend.

Ich bejahte eilig, denn seit ich auf der Nachbarinsel Paquetá Recki, den Pariahund, adoptiert und dort zurückgelassen hatte, war ich schon seit mehreren Jahren hundelos geblieben.

In der Zwischenzeit hatte ich mich mit Araras und kleineren Papageien beschäftigt. Doch so liebenswert die auch sind: irgendwo in Kniehöhe fehlte mir etwas, und eine englische Bulldogge sollte mir doppelt willkommen sein: als Wächterin meines Hauses, das recht einsam liegt, und als Freundin für mich, der auch nicht viel Anschluß hat.

*

Zwei Wochen etwa, nachdem Nora geworfen hatte, war ich eben daran, mich anzukleiden, um sie zu besuchen; denn für Besuche machen auch wir Insulaner uns fein, obschon wir gewöhnlich nur in Pyjamas oder Badehosen herumgehen.

Da aber rief wer von draußen «Ahoi!», und ein Freund aus Rio ließ sein Segelboot gerade unter meinem Fenster auf den Strand laufen. Es war eine neue Jolle, und mein Freund wollte, daß ich sie mit ihm ausprobiere. So versegelten wir diesen Tag in der Bai, und ich verschob den Besuch auf den nächsten. Aber der nächste Tag war ein Sonntag, und an dem kam, was an Sonntagen leider immer kommt: Besuch aus der Stadt, der bis Montag blieb.

Am Dienstag regnete es in Strömen, und so regnete es bis Mittwoch nachts, denn wenn es hier regnet, dann regnet es ordentlich; nicht solche Halbheiten wie «Landregen» oder «Schnürlregen», sondern wie aus Eimern, bis die Straßen schäumen. Für Donnerstag aber hatte ich schon ein Billett nach Belo Horizonte in der Tasche, und das konnte ich nicht verfallen lassen, denn die Züge dorthin sind immer voll, und der Himmel allein weiß, wann wieder ein Schlafwagen-Platz frei wird.

Also sah ich Noras Junge nicht, und als ich etliche Wochen später heimkam, hatte ich sie vergessen. Denn Belo Horizonte liegt vierzehn Schnellzugstunden von Rio, und ich hatte mich dort nach alten Skulpturen umzusehen, die ich für ein Buch brauchte, und nicht nach jungen englischen Bulldoggen.

Kaum aber hatte ich mich wieder in den Inselfrieden eingelebt, als mich Mac Gregors Tochter besuchte und mir mit den Worten: «Das ist Ihre!» ein dürres schwarzes Hündchen entgegenhielt. Es sah noch nicht ganz fertig aus, mehr Hunde-Embryo als junger Hund.

«Wieso *meine*?» verwunderte ich mich.

«Von Nora doch!» drängte sie mir das Hündchen in den Arm.

«Ah, das ist die kleine Bulldogge!» staunte ich ... «Und was soll sie kosten?»

«*Nichts* kostet sie!» versicherte sie hastig. «Vater schenkt sie Ihnen.» Damit war sie auch schon davon, ohne mich zu einem Dankeswort kommen zu lassen.

Überrascht stand ich da, das Hündchen im Arm.

Daß sich die sonst mitteilsame Dame derart kurz gefaßt hatte, wäre an sich schon absonderlich gewesen; bei weitem absonderlicher aber war es, daß mir ein Schotte ein Geschenk machte. Ein Schotte wie Mr. Mac Gregor einem bloß flüchtig Bekannten!

Schottenwitze fielen mir ein, die zwanglos auch auf Mr. Mac Gregor anzuwenden waren - der vom Schotten z. B., der dem Gepäckträger mit dem Bemerken: «Für eine Tasse Tee!» etwas in die Hand drückt, und wie der Gepäckträger die Hand öffnet, findet er ein Stückchen Zucker darin. – Oder vom Schotten, der eine Hellseherin heiratet, damit er sie nicht ins Kino zu führen braucht. – Denn ein rechter Schotte ist ein Mann, der den Sonntag hält und alles andere auch.

Und nun hatte mir Mr. Mac Gregor eine junge Bulldogge geschenkt! Wieviel kostet eine reinrassige englische Bulldogge? Mindestens hundert Dollar! Vielleicht mehr... Vielleicht das Doppelte... Vielleicht noch viel mehr, träumte ich. Auf der letzten Hundeausstellung hatte eine englische Bulldogge das Zehnfache gebracht. Wenngleich eine importierte, wenngleich eine weiße.

Meine war hier geboren, und meine war schwarz. Glänzend schwarz mit einem weißen Vorhemdchen.

Ich legte das Hündchen auf den Sessel (auf dem jetzt das Polster liegt, damit man den Fleck nicht sieht) und schlug im Handbuch des Kennel-Clubs die «Richtlinien für Bewertung von Bulldoggen» nach:

«Eine schwarze Bulldogge darf nicht in den Ring», las ich. – Schwarz scheint für Bulldoggen eine Fehlfarbe zu sein wie Weiß für Vergißmeinnicht. «Schwarz ist absolut unerwünscht», warnte mich das Buch nochmals, nachdem es drei erwünschte und drei minder erwünschte Farben aufgezählt hatte.

Außerdem war es eine Hündin. Hündinnen kosten weniger. Mir sind sie zwar lieber als Hunde, weil sie anhänglicher sind; aber sie sind billiger. Immerhin: *etwas* sollte selbst eine schwarze Bulldogge wert sein. Weshalb hatte der alte Schotte sie mir geschenkt?

Ich betrachtete die kleine Schwarze aufmerksam und nicht ohne Mißtrauen. Fehlte ihr ein Bein? Nein, sie hatte vier. Ihr Kopf schien etwas klein; dafür waren ihre Ohren so groß, daß sie mich an Erbsensuppe erinnerten. Warum nur? Aha, der Schweinsohren wegen, die in eine rechte Erbsensuppe gehören. Sie waren zu mehr als Dreiviertel aufgerichtet und klappten an der Spitze um. Dem Buch zufolge sollten sie das vorher tun. Der Kopf sah mehr nach Rattler aus als nach Bulldogge. Doch der mochte sich noch auswachsen. Stand nicht in meinem Buch, daß sich der rechte Bulldoggentyp, der dicke Kopf, die vorstehenden Eckzähne, die Hängebacken, die breite Brust bisweilen erst nach zwei, drei Monaten entwickeln?

Immerhin: für eine junge Bulldogge sah sie recht drollig aus. Also nannte ich sie «*Drolly*» – und zimmerte ihr ein Haus. Sinnigerweise aus einer schottischen Whisky-Kiste.

*

Drolly wuchs heran wie andere Hündchen: lebensfroh, anhänglich, nässend und neugierig. Sie fraß, was ihr in den Weg kam, und das wenige, was sie nicht fraß – wie etwa den Verputz des Hauses – nagte sie wenigstens an. Das einzige, womit sie durchaus nicht fertig wurde, waren die falschen Zähne meines Negerdieners Manoel. Er pflegt sie während der Arbeit abzulegen, und sie bemächtigte sich ihrer, während er den Boden wachste. Seither, behauptet er, passen sie nicht mehr. Da er sie aber nur als Schmuck benützt – denn er legt sie auch beim Essen ab –, halte ich mich nicht für ersatzpflichtig. Zerbrochen sind sie nicht, nicht einmal angenagt, denn sie bestehen aus einem jener neuen Kunstharze so infernalischer Härte, daß sie selbst Drolly standhielten.

Davon abgesehen hat Drolly nicht mehr angestiftet als sonst ein junger Hund. Sie spielte und fiel Treppen hinunter und winselte und machte Pfützen; kurz, sie benahm sich, wie sich ein junger Hund benehmen soll: tolpatschig und zerstörerisch und grenzenlos liebevoll.

Aus ihrem Benehmen wäre ihr also kein Vorwurf zu machen gewesen, und wenn ich sie dennoch mit wachsender Enttäuschung betrachtete, geschah das nicht ihres Charakters, sondern ihres Aussehens wegen.

Je kräftiger sie heranwuchs, um so weiter entfernte sie sich nämlich vom Bulldoggentypus, den ihre Mutter Nora so eindrucksvoll verkörperte. Ihre Beine wurden länger und dünner, doch ihr Kopf blieb klein, so daß ihm der Ansatz zu Hängebacken, den er als einziges versöhnliches Merkmal aufwies, eher etwas Truthahn- als Bulldoggenhaftes verlieh.

*

Als Drolly drei Monate und damit die Frist erreicht hatte, die das Handbuch des Kennel-Clubs für die Entwicklung ihrer Rassenmerkmale festsetzt, holte ich den dicken Band nochmals hervor und betrachtete mit schmerzlicher Aufmerksamkeit die großartig dickköpfige, breitbrüstige, hängelefzige Bulldogge, die dort als Muster ihrer Rasse photographiert ist. Selbst Nora kommt nicht an sie heran, selbst Samson würde neben ihr verblassen. Dann betrachtete ich Drolly. Sie winselte. Hündinnen sind empfindsam. Man soll Rücksicht darauf nehmen. Also schickte ich sie in den Garten zu den Papageien (mit denen sie lieber spielt als die Papageien mit ihr), während ich im einzelnen nachlas, wie eine rechte Bulldogge aussehen soll.

Sie hat nicht weniger als neunundzwanzig Voraussetzungen zu erfüllen, deren jede eine bestimmte Punktzahl zur Gesamtwertung beiträgt. Die Höchstzahl der Gutpunkte ist hundert. Wer jedoch die Bedingungen kennt, aus denen sie sich addiert, muß die Hoffnung aufgeben, je einer hundertprozentigen Bulldogge zu begegnen. Hunde solcher Vollkommenheit gibt es nur in der vierten Dimension.

Was mein Buch von einer Bulldogge verlangt, sind Wunschträume einer überhitzten Züchterphantasie. Aber es ist das offizielle Buch der amerikanischen Kennel-Clubs, und so ging ich alle neunundzwanzig Rassemerkmale der Bulldogge durch: von Proportion und Symmetrie über Fell und Schädel und Zähne und Bauch und werweißwasnoch bis zum Schwanz, der die Liste sinngemäß abschließt. Dann trug ich Absatz für Absatz Drollys Gutpunkte ein; aber obschon ich ihr für «Haltung» und «Ausdruck» und anderes, was sich schwer nachprüfen läßt, das irgend Mögliche zuerkannte (und sogar drei Punkte für «Rippen», weil sie gut rund sind und etwas herausstehen), kam ich doch nur auf siebzehn Gutpunkte und selbst auf die nicht ohne Bedenken. Hätte ich Drolly nicht hinausgeschickt – wer weiß, ob ich zehn Punkte erzielt hätte. Erinnerung schmeichelt. Enttäuscht klappte ich das Buch zu und habe es seither nicht wieder aufgemacht.

Ich bedurfte seiner nicht, um an Drollys Rassemängel erinnert zu werden. Dafür sorgten meine Bekannten. «Rehlein» nannte sie einer ihrer schlanken Beine wegen; «Laval» ein anderer wegen ihrer Halsfalten. Selbst eine wohlmeinende Freundin verstimmte mich. Voreilig hatte ich ihr in Rio von meiner Bulldogge erzählt, und als ihr Drolly beim nächsten Inselbesuch zutraulich entgegensprang, rief sie: «Ach, du hast *noch* einen Hund?»

Mr. Mac Gregor, bei dem ich Rat suchte, tat, als sei er mit Wichtigerem beschäftigt, und zwar selbst dann, wenn ich ihn im Streckstuhl mit Nora auf dem Bauche antraf. – Wie, die Kleine käme nicht recht voran? Vielleicht sei sie krank. Vielleicht Würmer? Kalomel – nichts Besseres als Kalomel! Was, keine rechte Bulldogge? Wieso denn? Kalomel, wie gesagt, und vielleicht noch Knoblauch. Ihre Geschwister? Wessen Geschwister? Seine? Drollys? Ach so, die der kleinen Hündin! Er machte eine vage Handbewegung, die ebensogut die Bai bedeuten konnte wie die Veranda oder den Horizont.

Tatsächlich bedeutete sie den Hundehimmel.

Da auf unserer Insel nichts verborgen bleibt, erfuhr ich mit der Zeit, daß er Noras Wurf dorthin befördert und ihr nur *ein* Junges gelassen hatte, damit es ihr die Milch abziehe. Drolly eben. Denn der Wurf waren kunterbunte Bastarde gewesen, die kaum etwas von Nora und nichts von Samson hatten: *Viralatas* mit einem Wort!

So, nun ist das Wort heraus, das Drolly schändet und Nora dazu. Bevor sie Samson zugeführt wurde, hatte sie sich mit einem Vagabunden eingelassen. Schmählich, höchst schmählich! Die reinrassige englische Bulldogge mit einem Mülleimer-Stöberer! Die Prinzessin mit dem Schweinehirten...

Schön stand ich da mit meiner «englischen» Bulldogge! Wie gewöhnlich: der Ehemann erfährt es zuletzt.

*

Doch was war jetzt zu machen, nachdem ich Drolly fast ein halbes Jahr aufgezogen hatte? Denn es hatte immerhin lange gedauert, bis sich die diskrete Angelegenheit zu mir durchgesprochen hatte. Nun war Drolly zimmerrein und leinenführig und sehr wachsam. Denn dumm war sie nicht. Durchaus nicht!

Es ist bezeichnend für die Überschätzung von Rasseeinheit, daß Bastarde klüger sind als reinrassige Hunde. (Weshalb denn auch fast nur Bastarde im Zirkus auftreten.)

Ob es sich mit Menschen auch so verhält, läßt sich nicht mit Sicherheit feststellen, weil bei ihnen die Vaterschaft kaum beweisbar ist. Ich vermute es aber, und die Beschränktheit jener Nachkommen alter Geschlechter, die äußere Merkmale reiner Abstammung aufweisen, scheint es zu bestätigen.

Vielleicht schärft der schwerere Existenzkampf Bastarden den Verstand, vielleicht stumpft ihn, umgekehrt, fortgesetzte Inzucht den Reinrassigen. Bei Hunden kommt hinzu, daß ihre Rassen meist auf andere Eigenschaften hin gezüchtet werden – auf Spürsinn etwa, Stärke, Wachsamkeit, Schnelligkeit oder Größe, wobei denn der Verstand des öftern zu kurz kommt. Rassehunde sind Luxusgeschöpfe, Bastarde Selbstversorger.

Von früher Jugend an zeigte Drolly ein gewisses Mißtrauen gegen das Wohlleben, das ich ihr bot, Vorsicht gegenüber einem Schicksal, das ihr Instinkt als unverläßlich ahnte. Sie mochte so viel gefressen haben, daß sie wie eine pralle Blutwurst dalag: nie versäumte sie nachzusehen, was Arara Selma – Verschwenderin wie alle Papageien – an Milchbrot verstreut hatte; oder was der Corrupiaõ (ein gelbschwarzer Starmatz anmutigen Geflötes) von den Spänen gebratenen Rinderherzens übriggelassen hatte, die seine Hauptnahrung sind. Selbst die Bananenbrocken, die der Amazonas-Papagei zu Boden fallen ließ, kontrollierte sie genau, obschon sie Bananen nur anrührt, wenn nichts anderes da ist, und lieber zum werweißwievielten Male einen alten Knochen vornimmt, weil er durch ein Wunder, auf das zu hoffen sie nicht aufhört, frisches Fleisch angesetzt haben könnte.

Nichts, was nur einigermaßen genießbar ist – oder wenigstens so riecht – entgeht ihrer Aufmerksamkeit. Sie mag noch so vollgefressen sein: sie beschnüffelt es wenigstens. Dabei runzelt sie die Stirne in Falten angestrengten Nachdenkens, so daß man sie förmlich Buch führen hört: «Ein Silberpapier von Schokolade; sieben Sardinengerippe (und neun im Eimer macht sechzehn); ein Butterbrotpapier; zwei Suppenknochen (hinter der weißen Bougainvillea ist noch Platz zum Verscharren); eine tote Kröte, die sehr fein riecht (wenn mein Mensch ausgegangen ist, werde ich mich auf ihr wälzen); ein Rest Bohnen und Reis vom guten Neger; ein abgebrochener Schwanz vom Mauergecko; beim Nachbarn Hühnerfutter (zwar nur Mais, aber in Suppe); von gestern ist noch ein Viertel Ente im Kühlschrank, und auf dem Küchentisch liegt ein Markknochen.» Mehrmals am Tage macht sie so ihre systematische Runde durch Haus und Garten, wobei sie an jenen tugendhaften Knaben des Schullesebuchs erinnert, der sein Glück machte, indem er jede Stecknadel aufhob.

Drollys Grundsatz ist: Wenn man dir gibt, so nimm; wenn man dir nimmt, so schrei! Und sie schreit denn auch mit einem so scheppernden, empört überschnappenden Gebell, daß selbst starke Männer einen Umweg um ihren Freßnapf machen. Mit Nahrungsmitteln versteht sie keinen Spaß. Als ich ihr einmal in die Nähe kam, während sie einen Knochen abnagte, knurrte sie. Es war eines der wenigen Male, daß ich sie geschlagen habe. Einem Hund hätte ich es durchgehen lassen; denn Knochen ist ihm mehr als Genuß; er ist sein Ehrbegriff, den er nicht antasten läßt; so etwas wie das Bierglas dem Studenten bedeutet der Knochen dem Hunde. Eine Hündin aber darf ihren Herrn unter keinen Umständen anknurren, auch nicht, wenn sie einen Knochen, ja, nicht einmal, wenn sie ihre Jungen verteidigt. Eine Hündin hat ihrem Herrn unter allen Umständen zu vertrauen. Tatsächlich zeigte sich Drolly über die eigene Vermessenheit bestürzt, noch bevor ich sie gestraft hatte. Es war, als habe ihr Instinkt, ohne ihr Dazutun, aus ihr herausgeknurrt. Sie nahm die Schläge ergeben hin und hat sie sich wohl gemerkt. Später ließ sie sich einen Knochen von mir aus der Schnauze nehmen. Dabei aber blickten mich ihre großen Augen so schmerzlich ungläubig an, daß ich es bei *einer* Probe bewenden lies.

Die Augen sind das Schönste an dieser verpfuschten Hündin; sie sind groß, von dunklem, doch leuchtendem Braun, feucht und tief und voll unterwürfiger Liebe, viel schöner als die kleinen blutunterlaufenen Augen reinrassiger Bulldoggen (von deren Farbe das Zuchtbuch nur verlangt, daß sie möglichst dunkel sei). Drollys Augen schimmern sanftmütig zurück in die Zeit, da das Lamm neben dem Löwen ruhte und, nehme ich an, die Hündin zu Füßen Adams; denn sonst wäre es kein rechtes Paradies gewesen. Damals gab es noch keine reinrassigen Bulldoggen, aber das macht nichts; denn eine Hündin gab es gewiß schon im Paradies, und dort hatte sie nicht einmal Flöhe. Oder vielleicht hatte sie doch welche, denn ein paar Flöhe sind gut für eine Hündin, weil sie ihr Bewegung machen, und sie sonst dick wird.

Schon ihrer Augen wegen könnte ich mich nicht mehr von Drolly trennen, obzwar es an Versuchung dazu nicht fehlte.

Da war ein Nachbarsbub, der heftige Liebe zu ihr vorgab, sie aber, wie ich argwöhnte, nur deshalb wollte, weil ihn ihre Aufmerksamkeit von meinen Orangenbäumen fernhielt; da war weiter meine Wäscherin, die Drolly in ihr gutes – wenn auch etwas verfettetes – Herz geschlossen hatte; und da war, vor allem, der stille alte Neger, der seine Zeit damit verbrachte, durch eine mit Bindfaden geflickte Stahlbrille in eine zerlesene Bibel zu blicken.

Als mir Drollys unehrliche Geburt zur Kenntnis kam, wollte ich sie dem Alten schenken, der ihr den häßlichen kleinen Kopf zu kraulen pflegte, während seine andere Hand die Bibelzeile festhielt – ein schwieriges Unterfangen, weil diese Zeile oft vorzeitig ins Leere eines ausgefransten Randes auslief und ihm derart zum Forschen nach dem Sinn auch noch das Raten nach der Fortsetzung auferlegte. Jenem alten Manne hätte ich sie damals beinahe geschenkt. So arm er war: sie hätte es gut bei ihm gehabt.

Was sollte ich, der manchen Hund reiner Abstammung aufgezogen und reinrassige Sealyhamterrier gezüchtet hatte, mit solch einem Bastardköter?

Schon hatte ich Drolly dem dunklen alten Bibelforscher zugesagt, ja ihr schon das Halsband umgeschirrt und nach ihrem Freßnapf gegriffen, um sie mit Aussteuer aus dem Haus zu geben, als mein Negerdiener Manoel, der uns aus dem Fenster beobachtet hatte – er beobachtete gern aus dem Fenster, wenn er arbeiten sollte, – fragte: «Senhor Ricardo, Sie wollen sie doch nicht weggeben, mit Verlaub?» Und da ich seinem mißtrauischen Blick auswich, mahnte er: «Eine so *gute* Hündin! Eine so *wachsame* Hündin! *So* paßt sie auf! Niemanden läßt sie herein! Nicht einmal einen Moskito!» (Das war gewiß eine Übertreibung.) «*Die* wollen Sie weggeben, mit Verlaub?» Es war ihm anzuhören, daß er ärgerlich war. Doch er ist ein sehr höflicher Mann. Selbst wenn er mich umbrächte, würde er nicht verabsäumen, «mit Verlaub» hinzuzusetzen.

«Aber sie ist keine Bulldogge», gab ich ihm zu bedenken.

«Keine Bulldogge? Was, mit Verlaub? Kein Hund wie der vom alten Engländer? Gott bewahre uns! Das ist ein häßliches Vieh, mit Verlaub. Unsere ist doch *schön*! Nicht wahr, ‚Dorli‘?»

Das entwaffnete mich. Vielleicht hatte er recht. Schön und häßlich sind relative Begriffe. Ich hatte einmal einen Freund, der in «Emmi, das Riesenmädchen» verliebt war und keinen Jahrmarkt ausließ, auf dem sie gezeigt wurde. Dann saß er andächtig in ihrer Schaubude, und wenn sie mit ihren zweihundert Kilo hereingewatschelt kam, traten ihm vor Verlangen die Augen aus den Höhlen. *So* schön fand er sie. Während ein anderer, noch seltsamerweise – aber lassen wir das!

Mein Diener war sichtlich enttäuscht von mir, denn obzwar sich Drolly an seinem Gebiß vergriffen hat, liebe er sie. Da es heutzutage schwer wäre, einen andern Diener zu bekommen, der auch nur so viel arbeitete wie er – und da, gestehen wir es, auch ich Drolly schon lieb gewonnen hatte –, erbat ich vom alten Frommen mein Wort zurück, worin er denn auch friedfertig, wenngleich betrübt, einwilligte.

Er und Manoel bestätigten die Regel, daß Drolly Negern gefällt. Vielleicht, weil sie so schwarz ist (ganz schwarz bis auf ihr weißes Plastron, ihr helleres Hinterteil und einige Ansätze zu bulldogghaft bräunlicher Strömung an den Vorderbeinen); vielleicht auch wegen ihres bei aller Unterwürfigkeit immer etwas mißtrauischen Gehabens, das ihr die Viralata-Ahnen ähnlich vererbt haben wie die Sklaven-Ahnen den amerikanischen Negern. Tatsache ist, daß sie unter Negern viele Freunde hat. Selbst als sie einmal einen Negerstauer böse knurrend anfuhr, weil er von hinten schnell auf uns zukam, was sie durchaus nicht leiden kann, begütigte der nur: «Eine Schwarze beißt keinen Schwarzen, nichtwahr, Dorli?» und brachte sie damit vom Geifern zum Wedeln.

Ihren Namen weiß die ganze Insel. Das versteht sich; denn was wüßte die ganze Insel nicht? Nur kann sie ihn nicht aussprechen. Es gehört zu den Eigentümlichkeiten der portugiesischen Sprache, daß sie zwei Konsonanten am Wortbeginn als Mißton empfindet und zu vermeiden strebt. «Sp» und «St» sind verpönt. «Dr» ist eben noch zulässig, aber auch nicht erwünscht. Deshalb setzt man einen Vokal voran oder fügt ihn ein. So heißt Staat portugiesisch «Estado», Spinat «Espinafre» und Drolly eben «Dorli».

Ein Kind fragte mich: «Wie heißt Dein Hund?»

«Drolly», antwortete ich geschmeichelt.

«*Dorli*?» fragte das Kind.

«*Dr*olly», verbesserte ich.

«Dorli», sprach das Kind gehorsam nach. –

«Drrrolly!» schnarrte ich.

«Dorli», flötete das Kind...

Ich habe es aufgegeben. Und ihr ist es egal. Wenn ein Kind sie ruft, kommt sie nicht, wie immer es sie ruft. Seit ein Mulattenbübchen vom Wäscherinnenhügel sie allen mit der Schleuder getroffen hat, mißtraut sie allen Kindern.

Ruft sie hingegen ein Neger oder eine Negerin, kommt sie wedelnd, wie immer er sie nennt; sie weiß, daß er sie streicheln oder ihr gar etwas zustecken wird. Wenn ich sie rufe, kommt sie mit einer beflissen schaukelnden Bewegung ihres ganzen Körpers. Könnte ein fetter Spickaal sich noch schlängeln, würde es ähnlich aussehen.

Nur wenn sie ein Huhn beschleicht, folgt sie mir nicht. Dann schließt sie sich so von der Umwelt ab wie ich, wenn ich Schach spiele.

Nähme das Huhn keine Notiz von ihr: sie ließe es unbeachtet. Aber ein Huhn ist außerstande, sich auf *seine* Angelegenheiten zu beschränken. Es fühlt sich als Mittelpunkt des Kosmos. Legt es ein Ei, ruft es Gott und die Welt zu Zeugen an. Große und starke Tiere – Elefanten etwa oder Abgottschlangen – machen weniger Aufhebens von ihrer Fortpflanzung. Auch weichen sie einem Auto aus. Nicht so ein Huhn! Kraft der zentralen Stellung im All, die es einzunehmen glaubt, maßt es sich überall ein Wegerecht an und setzt mit unmäßigem Geschrei sein Leben daran, es durchzusetzen. Oder gar eine Gluckhenne! Welche Menschenmutter könnte nur halb so eingebildet tun wie eine Gluckhenne (und zwar selbst dann, wenn die Kleinen nicht einmal *ihre* Kinder sind sondern junge Enten). Die spreizt sich bei jedem Korn, das sie scharrt, wie eine Auto-Fabrik mit ihrem neuesten Modell.

Im besondern aber ist ein Huhn außerstande, irgendjemanden oder irgendetwas zu bemerken, ohne sogleich lärmige Kritik daran zu üben. Ein Huhn ist so eingebildet und frech, daß es den größten Schaden anstiften würde, hätte ihm der Schöpfer in seiner Weisheit nicht gleichzeitig eine unbezähmbare Feigheit verliehen, die jedem Aufbegehren ein erschrocken gegackertes: «Ich will gar nichts gesagt haben!» folgen läßt. Nur unter seinesgleichen schweigt diese Feigheit, und so gibt es denn, von der menschlichen Gesellschaft abgesehen, kaum etwas Unverträglicheres und Boshafteres als einen Hühnerhof. Das klatscht und zankt und hackt – vorzugsweise nach den Augen – und gönnt einander nicht das kleinste Korn (von Regenwürmern und anderen leckern Dingen zu schweigen). Dabei sind Hühner so albern, daß sich nicht selten ein starkes von einem schwachen tyrannisieren läßt.

Sieht man im Hühnerhof aufmerksam zu, bemerkt man nämlich nicht selten:

ein Huhn hackt ein anderes und dieses ein drittes. Das dritte Huhn nun, das logischerweise das schwächste – oder doch feigste – sein sollte, hält sich schnabelhackend am ersten schadlos und dieses flüchtet vor ihm.

Das Gute, das wir Hühnern verdanken – Omelette mit Hühnerleber vor allem – müssen wir ihnen mit Gewalt abnehmen. Freiwillig gibt ein Huhn nichts her, und bei Lebzeiten ist ein Huhn unsympathisch.

Wirklich, ich habe Tiere gern und urteile im allgemeinen wohlwollender über sie als über Menschen. Bei Hühnern aber hört auch mein Wohlwollen auf. Bei Hühnern und bei Moskitos. Ich habe einigemal versucht, Hühner zu züchten, und es immer wieder aufgegeben. Sie sind *zu* stupid! Lieber soll mein Morgenei nicht ganz frisch sein, als daß ich es mit so viel Gegacker und Geflatter erkaufen müßte.

Drollys Abneigung gegen Hühner verstehe ich also. Doch muß ich sie be-

kämpfen, wenn ich nicht mit den Nachbarn in Konflikt kommen will. Denn die halten Hühner, und zwar mit Vorliebe in meinem Garten. Die meisten Bewohner unserer Insel haben ein Volk Hühner und einen Stall – oder zumindest einen Baum – wo es schläft. Drahtgehege hingegen besitzen nur wenige. Da Hühner scharrend Schaden stiften, sehen ihre Besitzer sie lieber anderswo als im eigenen Garten. Folgen die Hühner ihrem Dünkel, die Welt gehöre ihnen, hindert man sie nicht daran.

Eine alte Nachbarin, die sich bei allen Unannehmlichkeiten, die sie andern bereitet, darauf zu berufen pflegt, daß sie eine arme Witwe sei, hält ein stattliches Volk Leghorn-Hühner, ohne daß sie mehr Terrain besäße, als ihre Wäscheleine beansprucht. Also schwärmen ihre Leghornhühner jeden Morgen auf Requisition aus.

Mir gehen sie an den Salat und ans Alpinum, das ich mir sentimentalerweise auch in Brasilien angelegt und wenigstens mit Sedum acre, Portulak und Aloen bepflanzt habe. Leghorn-Hühner sind lästiger als die andern, die einen wenigstens in Ruhe lassen, wenn sie auf ihren Eiern sitzen. Leghorn-Hühner aber legen so eifrig Eier, daß sie darüber das Brüten vergessen, den Zweck übers Mittel; demnach sind sie eine pausenlose Plage.

Daß mich Drolly von ihnen befreite, war ihr erstes Verdienst. Drolly scheuchte sie, jagte sie, und gedachten sie, ihr fliegend zu entrinnen – denn Leghorns fliegen besser als andere Hühner, die meist nur ein wichtigtuerisches Flattern zustandebringen –: lief Drolly ihrer Flugbahn voraus und erwartete sie am Ziel mit Augen, die vor Mordlust glühten. Sie hat manches Leghornhuhn gezaust, daß die Federn stoben. Daß keines ums Leben kam, ist nur dem abscheulichen Geschrei zuzuschreiben, mit dem sie die Witwe, mich und alle Welt zu Hilfe riefen.

Ihre Leghorns noch überschreiend, erklärte die Alte das gezauste Huhn für ihre beste Eierlegerin, sich selbst für ruiniert und mich für einen unerwünschten Fremden, hielt aber doch ihre Hühner von meinem Garten fern. Zu meiner Genugtuung, doch zur Enttäuschung Drollys. Kein anderes Huhn hat ihr je so guten Sport gegeben; Leghorn-Hühner bedeuteten für sie etwas ähnliches wie norwegische Lachse für angelnde Engländer.

In Ermangelung solchen Edelwilds hält sie sich auch an andere Hühnerrassen. Da gibt es Hennen mit nackten Hälsen feuerroten Fleisches – ich halte sie für die Frauen der Kampfhähne, die hier zwar verbotener- doch fanatischerweise für Wettkämpfe gezüchtet werden–, sehnige, ruppige Hennen überheblichen Gebarens, die auf der Straße tun, als hätten sie unsere Insel erschaffen, bebaut und mit ihren Steuergeldern bezahlt. Feindselig gackern sie Vorübergehende an. Könnten sie, würden sie Weggeld von ihnen erheben. Unangenehme Tiere. Auch Drolly kann sie nicht leiden. Einige Strafen haben sie darüber belehrt, daß sie auf Spaziergängen keine Henne anfallen darf. Aber was *soll* sie tun? Wendet sie den Kopf sittsam nach der andern Seite, gackert ihr solch eine Nackthals-Henne übellaunig nach. Übersehen zu werden, ist ihr unerträglich. Sie *zwingt* die Hündin, Notiz von ihr zu nehmen. Was Wunder, daß Drolly der Lust nicht mehr widerstehen kann, sie zu jagen. Das kann ich ihr nachempfinden. Strafe ich sie dann, weil sie Hühner scheucht, so komme ich mir vor wie ein Richter, der einen Angeklagten für das bestraft, was er gern selbst begangen hätte – den Ehebruch mit einer hübschen Frau zum Beispiel. Aber so ist die Welt! Wenn man älter wird, gibt man es auf, sie verbessern zu wollen.

Auch sonst liebt es Drolly, zu scheuchen und zu jagen, was vor ihr davonläuft. Ihre sehnigen Beine sind hurtiger als die stämmig-krummen ihrer Bulldogg-Mutter und kräftiger als die des Viralata, der ihr Vater sein dürfte.

Mit Begeisterung läuft sie den Mangos nach, die ich ihr werfe, und ist meist schnell und wendig genug, sie zu überholen und im Maul aufzufangen. Allem, was sich bewegt, läuft sie nach, so daß ich fürchte, sie wird unter einem der Autos enden, die nun auch unsere friedliche Insel verseuchen. Sie läuft diesen nach, Reitern, Radfahrern, sogar Spatzen. Mit Vorliebe scheucht sie die kleinen grauen Holztauben auf, deren Gurren eine angenehme Frühlingsnote unserer Insel ist. Solche Wildtäubchen – «rolinhas» heißen sie hier – sitzen des Pferdedungs wegen gern auf der Straße. Da sie, aufgescheucht, ganz niedrig davonfliegen, gibt Drolly die Hoffnung nicht auf, die eine oder andere so zu fangen wie ein Leghorn-Huhn, und läuft so lange hinter ihnen her, bis sie mit hängender Zunge einhalten muß.

Auch von Ziegen läßt sie nicht ab. Daß so nette, flinke Tiere nicht mit ihr spielen wollen, kann sie nicht fassen. Immer wieder umrundet sie, vor Eile schräg im Kreise galoppierend, eine weidende Ziege, ohne doch mehr zu erzielen als ein aufmerksames Zuwenden der hörnerbewehrten Stirn.

Eine gesetzte graue Ziege, die mit ihrer halbwüchsigen Tochter einen nahen Anger zu beweiden pflegt, nimmt Drolly nicht einmal mehr so ernst, daß sie ihr die Hörner wiese. Hochmütig wie durch eine Lorgnette sieht sie aus ihren glasgelben Augen die im Kreise jagende Hündin an und wendet dann den Kopf langsam der Tochter zu, als wolle sie bemerken: Ist dir schon so etwas Verrücktes vorgekommen?

Worauf Drolly sich gedemütigt zum Strand verzieht, wo Nachbars «Toto» schon darauf wartet, mit ihr Scheinkämpfe um ein Büschel Algen zu führen. Aber was bedeutet schon der Nachbarhund gegen eine Ziege!

*

Als Drolly um den achten Monat zu endgültiger Gestalt und Geschlechtsreife herangewachsen war, hatte ich jede Hoffnung aufzugeben, daß sie je ihrer Mutter nachgeraten werde.

Im Gegenteil, das bißchen Bulldoggenhafte, das sie als Junghündin noch gezeigt hatte, verschwamm in den Viralata-Zügen der Erwachsenen: die Hängebacken wurden zu zwei humoristischen Fältchen; die vordem geströmten Vorderbeine dunkelten ins Schwarz hinüber; und obwohl die Brust sehr breit geblieben ist, kann man doch hinter dem komischen weißen Vorhemdchen nicht das couragierte Bulldoggenherz vermuten, das in ihr schlägt. Auch läßt sich Drolly nicht anmerken, daß ihre Zähne den bulldoggenhaften Vorbiß bewahrt haben, denn ihre Lefzen hängen gerade dort hinab, wo sie das nicht tun sollten: vorne nämlich.

Äußerlich hat Drolly nur wenig von ihrer mütterlichen Rasse. So wenig in der Tat, daß mir Mac Gregor einmal aus seinem Liegestuhl zurief: «Hallo, was haben denn Sie für einen komischen Hund?»

Er fragte guten Glaubens, aber es verletzte mich doch, und so antwortete ich nicht ohne Schärfe: «Aus *Ihrer* Zucht, Sir, Noras Tochter!» Worauf der Schotte erstaunt aufschnaufte, und Nora, die gewohntermaßen seinen geräumigen Bauch belastete, ein gurgelndes Knurren hören ließ.

Nur Drolly lief so gleichmütig an der Veranda vorbei, als schere sie sich keinen Deut darum, daß ihr Geburtshaus sie verleugnet hatte.

Hunde sind so und Hündinnen erst recht; ihnen gilt nur *ein* Haus: das ihres Menschen. Sie sind nicht wie Pferde, die jedem Stall zustreben, in dem sie gefüttert werden, oder wie Katzen, die ihre reservierte Zuneigung zwischen Haus und Mensch teilen. Rechte Hunde sind inbrünstige Monotheisten; sie glauben nur an *einen* Menschen und sie lieben nur ihn; sein Haus ist ihr Haus. Einem guten Hund ist jedes Haus recht, wenn nur sein Mensch darin wohnt. Deshalb sind Hunde leicht zu übersiedeln.

Rasch gewöhnte sich Drolly an mein kleines Ferienhaus im Gebirge von Nova-Friburgo. Doch sie erhob ein arges Geheul, wenn ich sie darin allein ließ. Im Inselhaus bleibt wenigstens der Neger Manoel bei ihr, und auch der be-

deutet ihr ein Stück Heimat. Zwischen beiden besteht eine natürliche Kameradschaft. Sie liebt ihn nicht wie mich; da er aber nicht an ihr herumerzieht, was
ich nicht lassen kann, gibt sie sich ihm gegenüber ungezwungener. Zwischen
ihr und mir steht eine Wand des Respekts, die sie nicht zu überspringen
wagt. Ich bin ihr Gott, er ist ihr Freund, und darum beneide ich ihn manchmal.

Auch er hängt an ihr. Komme ich Sommers auf die Insel, um nachzusehen, ob
alles in Ordnung sei, fragt Manoel zunächst: «Was macht Dorli?» Beruhige
ich ihn darüber und frage ihn nach seinem Befinden, erwidert er unweigerlich,
daß er Angst habe, allein im Hause zu schlafen. – «*Ganz* allein in einem so
großen Haus!», betont er vorwurfsvoll, obschon er bärenstark ist und mein
Inselhaus an der Straße liegt.

Auch zählt er mir die Einbrüche auf, die er während meiner Abwesenheit in
der Zeitung gelesen hat, und vergißt selbst die kleinen Diebstähle nicht, die ihm
auf der Insel zu Gehör gekommen sind. Mit solchen Andeutungen will er mich
dahin bringen, Drolly in der heißen Zeit bei ihm auf der Insel zu lassen. Einmal
gab ich ihm zu bedenken, daß Drolly unter der Hitze besonders leide, weil sie
ein schwarzes Fell habe. Worauf er einwandte, auch er habe ein schwarzes Fell
und vertrage die Hitze trotzdem besser als ich.

Er ist nicht zu überzeugen. Was immer ich sage, nimmt er nur als Ausrede
dafür, daß ich von meinem Herrenrecht Gebrauch mache. Das trifft wohl
auch zu.

Gerecht wäre es, Drolly selbst entscheiden zu lassen, mit wem sie den Sommer
verbringen will. Da das aber nicht möglich ist, sind wir auf Mutmaßungen angewiesen, die Manoel und ich einander häufig vorhalten.

«Hier kennt sie alle Welt», sagt er.

«Dort hat sie mehr Auslauf», entgegne ich.

«Und Bicho-Berne», erinnert er.

Damit hat er recht. Im Gebirge wird sie vom Bicho-Berne sehr geplagt, den
Larven einer grünlich schimmernden Schmeißfliege, die sich unter dem Fell von
Hunden, Rindern, Pferden und manchmal sogar unter der Haut des Men-

schen zu dicken Maden mästen, arge Schmerzen hervorrufen und nur schwer zu entfernen sind. Die Beine, Hälse und Wänste der Rinder um Nova-Friburgo sind von Dutzenden, ja Hunderten Bicho-Berne verbeult; den Hunden setzen sie sich oft in Ohrwurzeln und Beingelenken fest, während sie bei Menschen Kopf und Arme bevorzugen. Sie sind so widerliche wie schmerzhafte Parasiten, und niemand hat mir sagen können, weshalb ihr Name ans schöne Bern erinnert.

Ein Hausmittel ist es, Speck über die Beule zu binden, die solch eine Larve um sich auftreibt. Auf der Suche nach Atemluft bohrt sie sich in den Speck ein und kann mit ihm entfernt werden. Aber binde einer Drolly Speck auf! Sie fräße ihn mit dem Bindfaden. Wehleidig ist sie nicht, und für ein Stück Speck nähme sie mehrere Bicho-Berne in Kauf. Bei ihr muß man die Made mit Petroleum und Kreolin und in Oel geschabtem Kautabak so lange schwächen, bis sie sich ausdrücken läßt. Das dauert eine Woche, und da Drolly stets mehrere Bicho-Berne hat, verbringe ich einen Teil meiner Sommerferien mit dieser unappetitlichen Beschäftigung. Dabei nützt es nichts, sie vor Berne-Fliegen zu bewahren. Die heften nämlich ihre Eier auch Stubenfliegen, Mücken und Käfern an, so daß man nie weiß, welcher geflügelte Briefträger die garstige Post mitbringt. Von den Tropenplagen um mein Berghaus ist diese die lästigste. Gewiß, die giftigen Jararaca-Schlangen, die dort auf Kröten Jagd machen, sind gefährlicher, aber doch um vieles seltener. Manoel hat schon recht, wenn er die Bicho-Berne geltend macht.

«Und hier bekommt sie Zecken», wende ich dessen ungeachtet ein, «erst gestern habe ich ihr welche abgelesen.»

«Zecken, Senhor, was ist das schon?», tut er sie obenhin ab, obzwar die größere Zeckensorte ganz gehörig brennt, während wiederum die kleine durch ihre Menge wie Juckpulver wirkt. «Nur Kranke bekommen keine Zecken.»

Indes liegt Drolly, mich anhimmelnd und zu ihm hinüberschielend – fast sieht es aus, als zwinkere sie ihm zu –, schwarz und glänzend zwischen uns, sichtlich geschmeichelt, daß von ihr die Rede ist. Denn wenn sie uns auch nicht versteht, so fühlt sie doch, wie jedes Weibchen, daß über sie gesprochen wird. Verstünde sie uns: wem würde sie recht geben?

Vermutlich beiden, gleich dem verträglichen Kadi, dem zwei Gegner ihren Streit vortrugen. Er hörte den einen an und entschied: «Du hast recht!» Er hörte den andern an und pflichtete ihm bei: «Du hast recht!»– «Aber es können doch nicht *beide* recht haben!» rief ein Zuhörer. «Da hast du *auch* recht!» gab der Richter zu.

So versöhnlich ist Drolly freilich nur uns gegenüber. Andere wären von vornherein im Unrecht, und ich würde niemandem raten, in ihrer Gegenwart auch nur die Stimme gegen mich zu erheben. Geschweige denn die Hand! Ihr Gebiß ist stark, und wenn sie auch äußerlich wenig von ihrer englischen Mutter geerbt hat, so schlummert doch *in* ihr ein furchtloser und zäher englischer Ingrimm. Auch die Zuverlässigkeit ihrer Mutter besitzt sie, und deshalb glaube ich, daß sie sich selbst gegen Manoel für mich entscheiden würde. Unsere Beziehung nämlich – aber das wäre vorgegriffen. Zu solchem Grade des Vertrauens hatte sich unsere Beziehung noch nicht entwickelt, als Drolly eben erst ausgewachsen war. Damals war unser Verhältnis noch von meiner Enttäuschung über ihr rassewidriges Aussehen getrübt. Wenn ihr ein Mulattenbengel «Viralata!» nachrief, zuckte ich zusammen, als meine er mich.

Beschämender noch empfand ich die sachverständige Mißbilligung des Tierarztes, der Drolly die Injektion gegen Tollwut verabreichte. Er kommt einmal jährlich auf unsere Insel, und in langer Prozession werden ihm alle Haushunde vorgeführt. Die Injektion ist kostenfrei und unerläßlich. In Brasilien ist ein Hund, der sich ihr entzieht, wie ein Mensch ohne Identitätskarte. Rechtlich existiert er nicht. Wird er streunend eingefangen, kann sein Herr ihn nicht loskaufen. Diese Gefahr ist allerdings auf der Insel geringer als in der Stadt, denn kaum verläßt das vergitterte Fangauto der amtlichen Hundefänger die Fähre, laufen auch schon wohlmeinende Kinder über die Insel – auch eine hundefreundliche ältere Dame pflegt sich ihnen anzuschließen – und rufen: «Carrocinha! Carrocinha! – Das Wägelchen! Das Wägelchen!» Worauf jeder, der einen Hund hat, umherläuft und lockt: «Pretinha!», «Oscar!», «Salome!», «Popi!», je nachdem wie sein Liebling heißt, und nicht eher nachläßt, bis er ihn – oder sie – in der Stube verwahrt hat. Auf unserer Insel geraten also nur herrenlose Hunde oder solche, über die ein besonderer Unstern waltet, den Fängern in die Schlinge und sitzen dann verstört im entsetzlichen kleinen Auto. Nur die Geimpften haben dann eine Chance, mit dem Leben davonzukommen.

Davon abgesehen braucht man den amtlichen Jnjektionsschein auch für jeden Transport eines Hundes mit Eisenbahn oder Bus.

Also müssen sich die Haushunde zum Amts-Veterinär führen lassen und humpeln von ihm mit schmerzlichem Gehaben heimwärts. Denn die Injektion tut weh. Nur wirklich feine Hunde leisten sich ein Taxi, Nora zum Beispiel oder der stichelhaarige Foxterrier des reichen portugiesischen Farbenfabrikanten, ein unmäßig viver Hund, der sich immer vordrängt und selbst die geduldigsten Hunde in Aufruhr bringt. Kommt er zur Injektion, geht es selten ohne Beißerei ab. Er benimmt sich wie eine Dame, die ich in Locarno kannte, beim Metzger. Mit dem Viertelpfund Wurst, das sie wollte, beschäftigte sie Meister, Frau und Gesellen und führte dabei ein so gefürchtetes Mundwerk, daß wir, die warten mußten, nicht reklamierten, sondern unsere unterdrückte Wut aneinander ausließen. Indes zog sie selbst, schnell bedient, mit ihrem besonders freundlich gewogenen Kauf ab und befahl hochmütig über die Schulter zurück: «Aufschreiben!» – Nur daß der Foxterrier hübscher ist.

Bei der ersten Injektion, der ich Drolly zuführte – ihr beflissenes Wedeln erwies daß es ihre erste war –, ließ der Tierarzt sinnend die gefüllte Spritze schweben und bemerkte zu seinem Gehilfen: «*Hunde* haben diese Leute!»

Worauf er einstach, Drolly quiekte und der Gehilfe ins Formular, dort wo «Rasse» vorgedruckt ist, eintrug: «Mestiça». Was in der Amtssprache das bedeutet, was die Mulattenbübchen vom Wäscherinnenhügel hinter Drolly herplärren: Viralata nämlich. Ich habe den Schein mit einer Miene entgegengenommen, die man hier «cara fechada – verschlossenes Gesicht» nennt, und Drolly mit unverdienter Heftigkeit heimgezerrt.

*

Kurz darauf veränderte sich Drollys Zustand: sie wurde zum erstenmal läufig. Sie wurde es mit südlicher Inbrunst und ausgerechnet im Karneval!

Nun ist der Karneval auf der Gouverneurs-Insel auch dann eine unruhige Zeit, wenn man keine läufige Hündin im Hause hat. Zur Karnevalszeit wimmelt die Insel von Masken, die strandauf, strandab tanzen und nebstbei noch unseren kleinen Klub überfüllen. Von allen Seiten trommelt und geigt es, Pulverfrösche knallen, und die See ist bunt vom Konfetti, dem die Insel keinen Raum mehr bietet.

Wenn man das sieben Jahre mitgemacht hat, entwickelt man eine Technik, dessenungeachtet zu schlafen. Im hintersten Zimmer, versteht sich, mit Watte in den Ohren und nur zwischen vier Uhr und zehn Uhr morgens; aber man schläft. Nicht ohne Unterbrechung, denn manche Pulverfrösche und Kanonenschläge verspäten sich, oder eine Singstimme schluchzt dem Liebchen noch frühmorgens auf dem Heimweg etwas vor; aber, wie gesagt, nach langer Erfahrung bringt man doch ein wenig Schlaf zustande.

Nur darf man nicht noch dazu eine läufige Hündin haben, die ein Dutzend jaulender Köter hinter sich herzieht.

Was, ein Dutzend? Am Faschingsdienstag waren es siebzehn! Von des Detektivs «Sumbi» an, einem Bullterrier, der sich als Polizeihund würdiger hätte benehmen sollen, bis hinunter zu einem winzigen Hündchen vom Aussehen eines Eichhörnchens, das hinterherlief und immer zu spät kam wie der Dumme August beim Teppichaufrollen. Es heißt «Processo – Prozeß», vermutlich, weil es so langsam läuft.

Ich hatte damals eine Anzahl Gesteinbrocken herumliegen, die ich für meine Sammlung zurechtklopfen wollte, bunte Quarze, Pyrite, nichts Besonderes; doch wären es selbst Goldberylle gewesen: ich hätte sie nach den Hunden geworfen!

Sie stoben auseinander und sausten durch den Stacheldrahtzaun. Kaum aber hatte ich mich wieder aufs Ohr gelegt, als sie von neuem jaulten. So sind verliebte Hunde: nichts vertreibt sie endgültig. Wirft man sie zu einer Tür hinaus, kommen sie zur andern herein und sehen einen dabei so unterwürfig an, daß sie einen entwaffnen. In jedem Hund steckt ein Ritter Toggenburg.

Und in jeder Hündin eine Messalina.

Mit gierigen Augen mustert sie das jammervoll zu ihr aufseufzende Rudel und nimmt den an, der sich zu ihr durchgebissen hat. Wobei sie schon nach dem nächsten schielt.

Wer da glaubt, ich könnte meine Hündin von ihren Freiern absperren, kennt die Liebesglut der Tropen nicht. In der letzten Faschingsnacht verwahrte ich Drolly im Dienerhäuschen. Wußte ich doch, daß Manoel nicht vor Aschermittwoch nach Hause kommen würde. Mühelos drückte der Herr Metzgerhund das Fenster ein. Daß ihm Sumbi noch rechtzeitig an die Kehle fuhr und den Eingang für sich benutzte, verursachte mir weitere Ausgaben, weil ich die Wand neu malen lassen mußte, die der Herr Metzgerhund mit seinem Blut besudelt hatte.

Damals war Sumbi noch der stärkste Hund. Daß er zudem fast zu meinem Hause gehörte – dessen Bewachung er für die Reste meines Mittagessens nebenberuflich übernommen hatte, bevor Drolly gekommen war, – verdoppelte seine Kraft. Denn Hunde haben ausgeprägten Eigentumsinn und sind auf eigenem Terrain viel angriffiger als auf fremdem.

Sumbi war also der erste, der bei Drolly Zugang fand, weil er der berechtigtste und mutigste war. Da er aber schon im fünften Jahr und weißlich um die Schnauze ist – Tropenjahre zählen auch für Hunde doppelt –, begnügte er sich mit dem Recht der ersten Nacht und tauchte erst gegen Ende des Karnevals wieder auf.

Das langwierige Gebeiße zwischen dem Herrn Metzgerhund, der mit rasiertem und bepflastertem Hals besonders garstig aussah, und dem etwa gleichstarken Deutschen Schäferhund eines französischen Exporteurs gab Tags darauf einem krassen Außenseiter, einem schwarzen Viralata schakaligen Aussehens, Gelegenheit, als Zweiter ans Ziel zu gelangen.

Drolly war, gelangweilt von dem langen Duell, das ihr zu Ehren stattfand, beiseite gegangen; die Aufmerksamkeit der Rüden war auf die beiden schnappenden Hauptrivalen gerichtet; und als endlich der Deutsche Schäferhund den Herrn Metzgerhund so tief in die Schulter gebissen hatte, daß der davonhinken mußte, sah sich der Sieger nebst den Zuschauern vor eine vollendete Tatsache gestellt. Ihre Entrüstung über den schlauen Außenseiter war so tief wie nutzlos.

Drolly ist nicht wählerisch. Auch bleibt sie nicht wie eine honette Hündin beim ersten Liebhaber. Ist es das Klima, ist es die vertrackte Erbschaft von Vaterseite her: sie nimmt, was sich ihr bietet. In der Liebe wie im Fressen.

Nun, wenigstens ist die Liebe bei Hündinnen kein Dauerzustand. Sie dauert drei Wochen und wird von etwa halbjährigen Pausen unterbrochen. Fällt sie nicht ausgerechnet auf den Karneval, kann man sich mit ihr abfinden. Namentlich, wenn man die Hündin aus Haus und Garten aussperrt. Zu versuchen, sie sittsam zu verwahren, nützt nichts. Selbst im kühleren Locarno ist es mir nie gelungen, meine Sealyham-Hündin Bamba von ihrem Rüden Rio fernzuhalten. Begann ich damit, blinzelte Rio mich an, als wollte er sagen: kommt Zeit, kommt Rat. Und wirklich, er kam immer ans Ziel. Was nützte es dann, wenn die

Wirtschafterin und ich einander hitzig beschuldigten, in der kritischen Zeit eine Tür offen gelassen zu haben? Vielleicht war weder sie noch ich schuld; vielleicht hatte er sich einen Nachschlüssel besorgt. Rio sah uns an wie hier der Viralata die andern Inselhunde: angenehm ermüdet und überlegen. Am einfachsten, man läßt der Natur ihren Lauf.

Den nahm sie denn auch.

Während der neun Wochen, die sie für die Herstellung junger Hunde vorsieht – aus dem Gröbsten wenigstens, denn sie kommen recht unfertig zur Welt –, kehrte Drolly sich knurrend von Hunden ab, um sich mit gesteigerter Zärtlichkeit ihrem Menschen zu widmen. Es war, als bitte sie ihn im voraus um Gnade für ihre Jungen.

Doch was nützt Gnade des Menschen, wenn die Natur sie versagt?

Von den vier Jungen, die Drolly warf, kamen zwei tot zur Welt, während die beiden andern – klägliche Geschöpfe mit Wolfsrachen – am nächsten Tage starben. Ich begrub sie unter der Glockenrebe.

Drolly suchte sie winselnd und scharrte sie wieder aus.

So ruderte ich denn in die Bai hinaus und warf sie ins Meer.

Es war eine traurige Geschichte, die mich länger beschäftigte als die Hündin. Denn die schien sich nach einigen Tagen an nichts mehr zu erinnern. Nur den Vater, Sumbi, fiel sie wütend an, als er wieder an die Küchentür kam. Er machte sich denn auch so hurtig davon, als habe sie ihm eine Alimentenrechnung präsentiert.

Mir tat die Hündin noch leid, als sie selbst schon durchaus zufrieden schien. Deshalb fütterte ich sie besonders gut.

Manoel benahm sich naturnäher. «Sie ist noch zu jung», stellte er einfach fest. Unsereiner legt seine menschlichen Gefühle Hunden unter und mißdeutet so die ihren.

*

Daß ich Drolly reichlicher fütterte, war vermutlich der Grund, daß sie erkrankte. Da keine Jungen ihr die Milch absogen, hätte ich sie karg halten sollen. Der Tierarzt meinte zwar, es sei eine Infektionskrankheit. Doch vielleicht hätte ihr die Infektion nichts angehabt, wenn ihr Kreislauf in Ordnung gewesen wäre.

Sei dem wie immer: Drolly wurde räudig.

Sie wurde es auf besonders abstoßende Art. Erst fielen ihr die Haare in leopardenhaften Flecken aus, unter denen ihre sonst gesund brünette Haut nun leichenhaft fahl zu Tage trat. Dann schlossen sich die runden Flecken zu schuppigen weißen Zonen zusammen, bis schließlich das arme Tier kaum mehr Haare am Leib hatte.

Die vordem glänzend schwarzfellige Hündin lag nun weißlich schillernd wie eine Aussätzige auf dem Boden, von einem zitternden Frösteln überrieselt: ein widerlich aussehendes Wesen, das dazu noch übel zu riechen begann.

Ich weiß, das ist peinlich zu lesen; aber es war noch peinlicher anzusehen, und am peinlichsten war mir das Röcheln des armen Tieres. So viel Lebensfreude – und da verröchelte sie! So viel Hingabe – und da verfaulte sie! Nur Drollys Augen lebten noch wie einst: große, zärtliche Hundeaugen, die nicht tränten und sich nicht trübten, sondern mit so trauriger Liebe auf mich gerichtet waren, als bäten sie mich für das Leid um Verzeihung, das sie erduldeten.

Dieser Augen wegen ist die räudige Hündin am Leben geblieben. Dieser Augen und mehrerer Umstände wegen, die sich allzu schützend gruppierten, als daß ich sie für Zufall halten möchte. Daß Drolly am Leben blieb, ist, glaube ich, mehr als Zufall.

Eigentlich hätte ich das Tier töten sollen, um es von seinem Leiden zu erlösen. Ich sagte mir das mehrmals vor, um mir Mut zu machen.

«Drolly muß fort», sagte ich auch zu Manoel, als er sich über das kranke Tier beugte und mit seinen harten Händen sanft über die wunde weiße Haut strich. Sie war in Rissen aufgesprungen, die ein milchiges Serum absonderten. Ich rührte Drolly nicht mehr an, aber, wie gesagt, Manoel ist ein Neger.

«Fort?» wiederholte er verwundert. «Sie hat doch nur Räude.»

Nun heißt Räude im brasilianischen Sprachgebrauch «Lepra», und als er sagte: «Sie hat doch nur Lepra», hörte sich das an, als spräche einer jener Frommen des Mittelalters, die Aussätzige pflegten. Ich schwieg vor seiner franziskanischen Güte.

Das sind große Worte um eine räudige Hündin... Und das zu einer Zeit, in der Millionen Menschen im Kriegselend verkamen...

Daß ich sie an Drolly wende, möge man damit entschuldigen, daß mir eben jene jammervolle Zeit kaum andere Freunde gelassen hatte als diese räudige Hündin und einige Papageien. Nahe Verwandte hatte ich schon in Europa nicht mehr gehabt; die Person, die mir lieb war, hatte ich dort zurücklassen müssen – und Gott weiß, was aus ihr geworden ist –, meine Freundinnen und Freunde in der alten Heimat waren entweder zu Grunde gegangen oder mir entfremdet; die oder der hatte mich auch verleugnet und angefeindet. Vertraute Freunde in Brasilien aber hatte ich noch nicht gewonnen.

Es waren mir wirklich nur einige Papageien geblieben und die rassewidrige Drolly...

Da lag sie nun und blickte mich aus feuchten Augen an.

«Drolly sollte weg», sagte ich am nächsten Tage schon weniger sicher. «Sehen Sie nicht, daß sie sterben muß? Es ist besser, wir lassen sie töten.»

«Sterben müssen wir alle», erwiderte der Neger, «aber wir wissen nicht, wann...»

Was war da zu sagen? Manoel schloß sich wieder einmal gegen Vernunftgründe ab. Wie wenn man Erbsen gegen die Wand wirft, so war das. Wollte ich, daß er Fenster putzte, und er fand, daß man noch durchsehen konnte, verhielt er sich ebenso. Störrisch wie ein Maulesel! Was sollte ich tun? Er ist ein guter Diener, ehrlich, ergeben – so einen wie ihn bekäme ich nicht wieder. Also bleiben die Fenster trübe und Drolly winselt weiter. Vielleicht hat er recht, dachte ich, vielleicht ist ihr noch zu helfen!

Ich telephonierte dem Tierarzt.

*

Der Tierarzt kam mit der nächsten Fähre. Wer ihn wegen eines räudigen Hundes aus der Stadt nach der Insel ruft, muß, denkt er, sehr reich sein (worin er sich täuscht) oder doch verdreht, was ihn zu gleich hoher Rechnung ermutigt (womit er recht haben mag).

Er kommt mit einem Koffer voll Instrumenten und Medikamenten, wäscht sich gründlich die Hände und desinfiziert sie mit Alkohol. Damit aber hört seine Tätigkeit auf. Denn wie ich ihm Drolly zeige, die unter meinem Schreibtisch zittert, genügt ihm *ein* Blick zur Diagnose: «Nichts zu machen. Am besten, wir schläfern sie ein.»

Ich will sie hervorziehen, damit er sie genau sehe.

«Rühren Sie den Hund nicht an!» warnt er, «Sie können sich anstecken. Solche Räude geht auch auf Menschen über.»

«Wollen Sie ihr gleich eine Spritze geben?»

Er sucht in seinem Koffer. «Sie ist nicht dabei. Muß der Assistent vergessen haben. Sonderbar – packt mir doch sonst alles ein! Auch kein Chloroform und kein Äther. Machen Sie es doch selbst; es ist ganz einfach.»

Er erklärt es mir und verabschiedet sich, nachdem er für seinen Besuch erheblich mehr verlangt hat, als ich meinem Arzt für mich bezahle. Drollys Röcheln klingt, als knurre sie darüber.

Die Hündin ist verloren. Meine Pflicht ist es, ihr zu einem leichten Tod zu verhelfen.

Wie gern glaubt man dem Fachmann, wenn er einem die eigene Meinung bestätigt! In der Folge wird sich erweisen, daß man nicht immer recht daran tut. Die Insel-Apotheke ist klein; Chloroform hatte sie nicht vorrätig, nur Äther. Also kaufte ich eine Flasche Äther und ein tüchtiges Paket Watte dazu.

Es dämmerte schon, und beim Heimweg begegnete ich Mr. Mac Gregor, der, Nora an der Leine, seinem Abendtrunk zustrebte. So gemächlich sich selbst genügend gingen die beiden, daß mich Bedrückten der Neid faßte. Hatte er mir den Bastard seiner Hündin zugeschoben, sollte er auch am traurigen Ende teilhaben. Also seufzte ich ihn an, wie er vor einem Jahre mich angeseufzt hatte.

Drollys Mißwurf, ihre Krankheit, der Tierarzt und hier, der Äther, die Watte: es klagte nur so aus mir heraus.

Der alte Mann war stehengeblieben und hörte, den großen runden Kopf schräg gesenkt – denn er ist viel größer als ich – an, was ich zu ihm emporseufzte. In seinem dünnen weißen Haarkranz spielte der Abendwind.

Als ich fertig war, sagte er: «Too bad!» wie damals, als er von der Not seiner Hündin gesprochen hatte. Und dann tat er etwas Unerwartetes: er ergriff meine Hand und schüttelte sie.

Seither grüßen wir einander mit einer gewissen Herzlichkeit. Kein übler Mann, der alte Mac Gregor...

Zu Hause winselte mir Drolly entgegen. Sie schien sehr zu leiden. Selbst ihre Augen waren verschleiert. Da half nichts mehr: ich mußte ihr den letzten Dienst erweisen.

Unter dem Orangenbaum, in dessen Schatten sie gern gelegen hatte, grub ich ihr Grab. Es stimmte mich trübselig, daß dabei ein Knochen zum Vorschein kam, den sie dort verscharrt hatte. Dann legte ich ein Badetuch bereit, in dem ich sie begraben wollte. Der Gedanke widerstrebte mir, sie wund, wie sie war, in den schmierigen Lehm zu legen.

Schließlich rief ich sie ins Badezimmer, in dem ich alle Lampen angedreht hatte – sie war schon so schwach, daß sie sich nur mit einknickenden Hinterbeinen hinter mir herschleppen konnte –, tränkte einen großen Wattebausch mit Äther und preßte ihn ihr auf die Schnauze. Sie widerstrebte nur wenig, nur, als gäbe ich ihr Medizin ein. Der Druck meiner Hand ließ nicht nach. Es muß sein! Es *muß* sein! – ermutigte ich mich. Ihr Körper erschlaffte.

In diesem Augenblick erlosch das Licht.

Man mag es mir glauben oder nicht – aber, so wahr mir Gott helfe: in diesem Augenblick erlosch das Licht.

In all den Jahren, die ich nun schon auf der Insel wohne, ist das elektrische Licht nur drei- oder viermal ausgegangen, und immer war die Ursache feststellbar: ein Gewitter, oder ein Auto, das gegen einen Leitungsmast gefahren war. Unsere Insel wird von derselben kanadischen Kompagnie mit Licht versorgt, die auch Rio beleuchtet. Es ist eine wohlorganisierte Gesellschaft, und ich kenne keinen andern Fall, in dem ihr Licht versagt hätte, ohne daß dies zu begründen gewesen wäre. Keinen andern Fall als diesen. Es ist wahr, die Dunkelheit dauerte nur kurz, eine Minute nur oder noch weniger, aber sie genügte, um Drolly das Leben zu retten.

Als das Licht mit jenem geisterhaft phosphoreszierenden Glühen wieder anging, mit dem eingeschlafene Glühlampen erwachen, lag sie, den Kopf auf den Pfoten, frei vor mir. Sie hatte keine Angst vor mir, durchaus nicht, sondern blickte mich aus ihren großen Augen mit der unterwürfigen Gläubigkeit an, mit der eine Hündin *jede* Handlung ihres Herrn seiner Allwissenheit und Allgüte zuschreibt. Während sie ihre mißhandelte Schnauze leckte, sah sie mich geradezu dankbar an.

Ich konnte nicht weiter.

Ich räumte Äther und Watte beiseite und holte den Aufschnitt, den mir Manoel zum Abendbrot zurechtgemacht hatte.

Sie fraß nicht viel davon. Sie fraß mehr mir zu Gefallen und hörte bei dem bißchen Fressen nicht auf, mich anzuhimmeln. Die Tränen hätten einem kommen können.

*

Nun, meine Rührung verging, während Drollys Räude anhielt. Sie wurde chronisch, obschon ich nichts unversucht ließ, ihr beizukommen. Ich pinselte die Hündin mit Kreolin, und ich wusch sie mit Schwefelseife, ich salbte sie, und ich machte ihr Umschläge. Ich setzte mehr Ehrgeiz darein, sie zu heilen, als ich je in ein Buch gesetzt habe. In den Intervallen der Entmutigung, die mich befielen, wollte ich ihr wenigstens ein schmerzloses Ende verschaffen. Doch das eine gelang mir so wenig wie das andere. Drolly blieb räudig, wie sie gewesen war, und stank, wie sie gestunken hatte. Eher mehr.

Eines Tages erschien sie mir so hoffnungslos, daß ich mir einen Revolver lieh, um sie zu erschießen. Doch ich bekam keine Munition dazu, und um sie zu kaufen, fehlte mir der Waffenschein.

Den Bauern, der mir als Hundetöter empfohlen worden war, traf ich nicht an. Die Abteilung der Präfektur, die Hunde fängt und vernichtet, wies mich mit der Begründung ab, daß sie sich nur mit herrenlosen Hunden befasse, während

Drolly ordnungsgemäß beheimatet und gegen Tollwut geimpft sei. Andere Krankheiten gingen diese Behörde nichts an. Weshalb ich sie nicht in der Stadt von einem Tierarzt töten ließe, fragte der Beamte. Die Antwort war, daß die Fähre es abgelehnt hatte, einen Hund zu befördern, der so widerwärtig aussah und stank.

Das *alles* war Zufall? Wie gesagt: ich habe da meine Zweifel. Handelte es sich um einen Menschen, würden Fromme an seinen Schutzengel denken. Doch wer denkt daran bei einem Tier...

All das ging nicht so rasch vor sich, wie es hier mitgeteilt wird. Zwischen jedem Versuch, Drolly zu helfen oder sie umzubringen, lagen Tage oder Wochen der Behandlung und Plage, des Mitleids und Überdrusses.

Manoel sah mit der unleidlichen Überlegenheit dessen zu, der recht behält. Denn wenn sich Drollys Zustand auch nicht besserte, so verschlimmerte er sich auch nicht mehr, und wir gewöhnten uns an ihn, als sei er normal. Gibt es doch auch Nackthunde, und man hat eine reine Rasse aus ihnen gezüchtet. Sind Haare nötig? Auch ich habe fast keine mehr.

Während so mehrere Wochen mit Medizinieren, Verzagen und endlichem Gewöhnen verstrichen, sprach sich Drollys Zustand auf der Insel herum.

Dabei ging es, wie es bei einer ansteckenden Krankheit zu gehen pflegt: wer sie hat, ist an ihr schuld. Man tut, als habe er sie aus Bosheit. Daß ihm sein Husten, sein Furunkel oder gar sein Aussatz von einem – oder einer – andern durchaus gegen seinen Willen übertragen wurde, tut nichts zur Sache.

An ihrer Räude also war nach allgemeiner Ansicht Drolly schuld. Daran bestand so wenig Zweifel, daß eines Tages der Nachbar, dem der Bullterrier Sumbi gehört, mit ernster Miene von mir verlangte, ich solle Drolly töten, weil sie seinen Hund anstecken könnte.

Das hatte mir gerade noch gefehlt!

Sich zwischen Herrn und Hund zu drängen, ist fast so arg, als dränge man sich zwischen Mann und Frau. Sie mögen miteinander streiten, sie mögen einander schlagen: das ist *ihre* Sache! Vielleicht lieben sie einander doch. Und wenn nicht, geht auch *das* niemanden etwas an.

Der Herr mag seinen Hund töten – nur *er* weiß, was es ihn kostet! –: es von ihm zu fordern, ist empörend.

Daß dieser Nachbar ein guter Nachbar war – ich dachte nicht mehr daran. Ich schlug es sogar in den Wind, daß er Polizeibeamter war und mir, dem Ausländer, böse schaden konnte. Ich fuhr auf ihn los wie Drolly auf ein Leghorn-Huhn. Was, zum Teufel, ihn *meine* Hündin angehe, fauchte ich ihn an; er möge sich samt seinem Viralata Sumbi dorthin scheren, blaffte ich, wo sie hingehörten, in die Hölle nämlich oder doch aufs eigene Grundstück.

So unbeherrscht benahm ich mich, daß der Nachbar, der mich bis dahin als ruhigen Mann gekannt hatte, vor mir zurückwich wie vor einem Irren.

Ich halte es ihm zugute, daß er sich für meinen Zornausbruch nicht gerächt hat, sondern nun tut, als habe er ihn vergessen. Nur seinen Hund hat er längere Zeit an die Kette gelegt, um ihn von meinem nun doppelt gefährlichen Hause fernzuhalten.

Wie er verhielten sich andere. Man ging mir aus dem Wege, man mied mein Haus. – Eine räudige Hündin, ein närrischer Fremder... Zum erstenmal in Brasilien spürte ich Feindschaft.

Wäre noch etwas nötig gewesen, mich an Drolly zu binden, so war es dieser Druck. Und wenn ich die ganze Insel, und wenn ich ganz Brasilien auf den Hals bekäme: zwingen ließ ich mich nicht!

Nie war ich freundlicher zu meiner räudigen Hündin, und mit wahrer Leidenschaft verarztete ich sie nun. Jedes Haar, das ihr nachwuchs, war mein Erfolg; jeder Schrund, der sich öffnete, meine Niederlage. Daß Drolly all die Patentmedizinen überlebt hat, die ich ihr damals aus den Stadtapotheken mitbrachte, spricht für ihre Widerstandskraft.

Daß sie zu guter Letzt mit ihrer Räude fertig wurde, verdankt sie dem Rezept eines Menschenarztes, der sich nicht zu gut dünkte, auch einem kranken Tier zu helfen. Er ist ein freundlicher Mann, der sein Fach von Grund auf versteht. Seither ist er mein Freund geworden. Er verschrieb Drolly etwas, worauf ich nie verfallen wäre: Alizarinblau nämlich, aus dem man gewöhnliche Tinte macht. Genau gesagt verschrieb er ihr eine wässerige Lösung aus Alizarinblau und Alizaringrün.

Als ich die Arme damit bestrichen hatte, sah sie aus wie ein Veilchen. Allerdings roch sie nicht so gut.

Ich bepinselte sie täglich zweimal vom Kopf bis zu den Füßen, und da sie sich beleckte, wurde auch ihre Zunge veilchenfarben.

Aus Gründen, die der gute Arzt besser kennen mochte als ich, wich die Räude, die so vielen Pillen, Salben, Seifen, Pulvern und Tinkturen widerstanden hatte, binnen einer Woche der Veilchenfarbe.

*

Als ich Drolly – leuchtend blau, doch mit neu sprießenden Härchen – eines Sonntags zum erstenmal wieder an den Strand brachte, erregte sie außerordentliches Aufsehen. Sie war wie eine rote Mauritius-Marke: eine große Rarität.

Der erste blaue Hund der Gouverneursinsel – wer weiß, der ganzen westlichen Hemisphäre!

Eltern riefen ihre Kindern, um ihnen das seltene Naturspiel zu zeigen; ein Mulattenbübchen vom Wäscherinnen-Hügel war so überrascht, daß es auch nicht *ein* Spottwort hervorbrachte; und der Schäferhund des Franzosen floh, so groß und stark er ist, daß der Sand stob.

Von all dem unberührt, mit der Naivität, die eine nackte Polynesierin an den Tag legen würde, wenn man sie an den Badestrand von Miami versetzte, tänzelte die veilchenfarbene Hündin auf ihren krankheitsdürren Beinen über den Sand, um, wie einst, ihr Seebad zu nehmen.

Raunen erhob sich.

Eine ängstliche Mutter besorgte, hier handle es sich um eine neue Krankheit, während der Baumeister dem Steuereinnehmer zurief, nun sei der Fremde vollständig verrückt geworden. (Ein wenig verrückt ist ja, nach Meinung der Einheimischen, jeder Fremde).

Eine Bootladung junger Mädchen floh, kreischend, ein blauer Hund sei tollwütig.

Ich hasse es aufzufallen. Und da stand ich nun mit einer blauen Hündin auf dem sonntäglich belebten Strand der Gouverneursinsel!

Drolly glänzte in der Sonne. Nicht mehr wie ein Veilchen – ein Veilchen ist bescheiden und schimmert nur – sondern wie eines der absurden Geschöpfe, die Brueghel, wenn auch nicht so aufdringlich alizarinblau, in die Versuchung des hl. Antonius gemalt hat.

Zu Hause war mir Drolly bei weitem nicht so blau vorgekommen; zu Hause aber waren die Fensterladen geschlossen.

Mir wurde schwach. Im Mittelpunkt des Interesses zu stehen, ist mir ein Albdruck. Die seltenen Male, da ich eine Vorlesung gehalten habe, litt ich so, daß ich mir vorgenommen habe, es nicht wieder zu tun. Schon vor einem Radio-Mikrophon belegt sich mir die Stimme.

Und da stand ich zur belebtesten Badezeit mit einer blauen Hündin!

Wäre sie wenigstens ins Wasser gegangen! Ihr Kopf ist klein und hätte nur ein veilchenfarbenes Fleckchen ergeben. Die Bai ist blau, und davon hätte Violett nicht so abgestochen wie vom weißen Sand. Nicht bunter hätte Drollys Kopf gewirkt als eine der Bojen, an denen Segelboote schaukelten. Wäre sie doch geschwommen! Sonst schwamm sie gern, und sie schwimmt gut mit ihrer breiten Brust und ihren sehnigen Beinen. Wenn sie auch keine gute Bulldogge war: eine gute Schwimmerin war sie.

Aber nein, sie planschte nur ein wenig.

Selbst das gab sie auf, vermutlich weil das Salzwasser in ihre kaum verharschte Haut biß, und trippelte auf die Düne.

Da die Hunde betroffen vor ihr zurückwichen, begann sie, im Wohlgefühl der Rekonvaleszenz, mit sich selbst zu spielen, wenn auch noch ohne rechte Kraft, so daß häufige Stürze die Kreise, die sie lief, blau punktierten.

Immerhin war ihr Benehmen nun so eindeutig vergnügt, daß sich die Badenden wieder heranwagten.

«Toll ist sie nicht», beruhigte einer, «sie schäumt nicht.»

«Aber sie ist doch so *blau*!» gab eine Mutter zu bedenken, die an jeder Hand ein Kind festhielt.

«Sie gehört doch dem *Fremden*», begründete versöhnlich der Steuereinnehmer, als entschuldige das manches.

«Sie hat blaues Blut! Sie ist eine Prinzessin!» schrie der Mulattenjunge, der seine Sprache wiedergefunden hatte, und alles lachte.

«Sie denkt, es ist noch Karneval», rief ein anderer Knabe, der nicht zurückstehen wollte, «sie spielt Bahianerin, die Tochter einer...» Er brach ab, denn Manoel hatte ihn am Ohr.

Manoel hatte, wie gewöhnlich, aus dem Fenster gesehen statt zu arbeiten und war, da er den Auflauf wahrnahm, herbeigekommen.

«Wessen Tochter?» fragte er sanft und ließ sich nicht anmerken, daß er dabei kniff (denn in Brasilien darf man Minderjährigen nichts zuleide tun), «*Wessen* Tochter, du Lausbub?»

«*Deine* Tochter! schrie der Knabe, der sich losgewunden hatte, und machte mit beiden Händen Eselohren, «*Deine* Tochter, du Sohn einer...» und diesmal kam er zu Ende.

Immerhin war die Stimmung umgeschlagen. Feindseligkeit liegt Brasilianern nicht. Sie brausen auf, wenn sie sich verletzt glauben, aber es ist ihnen nicht wohl dabei. Ein Lächeln hilft. Und diesmal lachten sie sogar. Über die blaue Hündin, über meine Verlegenheit, über Manoel und, vor allem, über den Witz des Mulattenbübchens mit der «Bahianerin».

Darunter nämlich versteht man hier das bunte – meist lila – Karnevalkostüm, das beleibte Negerinnen bevorzugen. Da Drolly als schwarz bekannt, dazu noch nach ihrem Wurf hängebrüstig war und nun mit einemmal lila herumtanzte, paßte die «Bahianerin» auf sie wie angemessen.

Ich wies auf einen Jungen, dessen aufgeschundenes Knie mit Chromquecksilber rot bepinselt war, und erklärte: «Für Menschen nimmt man rot, für Hunde blau.»

Das überzeugte.

Drolly war nicht mehr absurd, nur bedauernswert.

«Coitada dela! Coitadinha! – Die Arme! Die arme Kleine!» gurrten gerührte Frauen, und die blaue Drolly wurde gefüttert wie nie als schwarze. Rekonvaleszenz macht Appetit, und sie fraß, was in sie hineinging.

«Sie ist also *doch* gesund geworden», verwunderte sich der Polizei-Nachbar, der die Ansammlung mit beruflichem Interesse beobachtet hatte und die blaue Drolly schlingen sah, was sich ihr bot. «Gut! Es tut einem weh, wenn ein Hund stirbt.» – Doch seinen Sumbi hielt er dennoch lange an der Kette. Ganz traut einem die Polizei nie.

An jenem Sonntag endete die Feindschaft der Insel, und zwischen Drolly und mir begann die rechte Freundschaft, die nicht nach Rasse fragt. Von nun an war mir Drolly so lieb, wie mir in Locarno meine Sealyhams Rio und Bamba lieb gewesen waren und seither kein Hund mehr. Nur ein Mensch – aber der gehört nicht hierher, denn er hat sich nicht gut gegen mich benommen.

Von da ab erwies mir Drolly auch die Kameradschaft, die mir bis dahin gefehlt hatte. Das ist kein unbedingter Vorteil, denn seit sie ihre Stellung gesichert fühlt, läßt ihr Gehorsam nach, und ihr Betragen wird ehefraumäßig. Doch auch ihr Selbstbewußtsein. Strenger als je bewacht sie unser Haus, und gegen Besucher nimmt sie eine betont herablassende Haltung an. Nur Manoel läßt sie ihren sozialen Aufstieg nicht fühlen. Er ist ihr Kamerad geblieben.

Und *eines* noch verbindet sie mit der Vergangenheit: ihre Neigung zum Mülleimer. Sie kann es auch jetzt nicht lassen, ihn immer wieder zu inspizieren, und das Klirren auf dem Küchenboden erweist, wie gierig sie den Eimer durchstöbert. Hier strecken noch Viralata-Ahnen ihre hungrigen Schnauzen hervor. Dagegen hilft kein Schelten. Besser, man übersieht es.

Schon deshalb besser, weil es eine dem Tier nützliche, ja lebensnotwendige Eigenschaft ist – wenn auch nicht für sein sorgloses Haustier-Dasein, so doch für sein Leben in natürlicher Freiheit.

Je höher wir nämlich eine Hunderasse für unsere Zwecke züchten, je seidiger ihr Fell wird, je kürzer oder länger oder krummer ihre Beine, je intensiver ihre Neigung, Wild aufzustöbern, dessen sie sich unter natürlichen Voraussetzungen nie bemächtigen könnte: um so tiefer sinkt gleichzeitig ihre Fähigkeit, ein natürliches Eigenleben zu führen, um so weiter entfernt sie sich von den Wölfen und Schakalen, die ihre Ahnen sind.

Setzte man einen reinrassigen Hund aus, daß er sich selbst versorge, einen Dackel etwa, einen Setter, Sealyham, Foxterrier, Bernhardiner oder was immer seine Rasse sein mag: er ginge mit Sicherheit zu Grunde.

Nicht so der Straßenköter, der verachtete Viralata. Er würde sich irgendwie durchbringen, mit Ratten, mit Abfällen, selbst mit Exkrementen wie die Pariahunde des Ostens.

Beim Züchten geht der Mensch stets auf *seinen* Vorteil aus, nicht aber auf den des gezüchteten Wesens. Hochgezüchtete Rosen werden steril, weil sie ihre Staubgefäße zu Blütenblättern umbilden, und nur die Hand des Gärtners kann sie noch fortpflanzen; rassereine Tauben müssen gefüttert und behaust werden, weil sie es verlernt haben, ihre Nahrung selbst zu suchen und Nester zu bauen.

Mit rassereinen Hunden verhält es sich nicht anders. Ohne die nährende und schützende Hand ihres Herrn wären sie verloren. Deshalb ist für Drolly das Erbteil ihres Viralata-Vaters von höherem Wert, als es das ausschließliche Erbe der reinen Mutter-Rasse gewesen wäre. Gesetzt, ich stürbe vor Drolly, und kein anderer wollte sie – nun, wer würde sie auch wollen! –: sie brächte sich selbst durch. Nicht so glänzenden Fells, wie sie es sich jetzt angemästet hat, und auch nicht so großspurigen Betragens, aber doch irgendwie aus Mülleimern und in Winkeln, im bissigen Wettbewerb mit andern Vagabunden-Hunden, hier ein Kaninchen erschnüffelnd – vielleicht auch nur eine Eidechse –, dort einen Knochen. Ein hartes Leben – doch ein Leben immerhin, unter Bedingungen, denen ihre reinrassige Mutter Nora nicht gewachsen wäre, so großköpfig und breitbrüstig sie auch ist. Die legte sich hin und stürbe.

Denn es ist mit Tieren wie mit Menschen: rein gezüchtete Rasse ist biologisch nichts wert. Drüben in Rio de Janeiro hungerte der Nachkomme eines der ältesten Adelsgeschlechter Frankreichs, weil er außerstande war, sich auch nur als Hilfskellner durchzuschlagen. Schließlich kaufte ihn sich eine reiche Frau.

Die Möglichkeit des Kaufs ist der Vorteil reiner Rasse, und vornehmlich seinetwegen werden die meisten Hunderassen gezüchtet: zu Spaß und Sport der Reichen.

Die Rasse der englischen Bulldogge im besondern ist – zufolge der mittelalterlichen Quelle «The Survey of Stamford» – so entstanden: Zur Zeit des englischen Königs John (1209) sah der Lord von Stamford von seiner Burgmauer zu, wie auf der Schloßwiese zwei Stiere um eine Kuh kämpften, bis Metzgerhunde sie verjagten. Das gefiel Seiner Lordschaft so, daß er die Schloßwiese den Metzgern der Stadt unter der Bedingung schenkte, daß sie dort jedes Jahr ihre Hunde mit einem Stier kämpfen ließen.

Zu diesem Zweck – den die Wetten auf den tüchtigsten Hund noch verlockender machten – züchteten die Metzger Stamfords Hunde auf Angriffslust und Unempfindlichkeit gegen Schmerzen, ohne auf Schönheit oder auch nur Pro-

portion zu achten: Bulldoggen eben, die nicht mehr loslassen, wenn sie einmal zugebissen haben. Als vor etwa hundert Jahren ein englisches Gesetz
verbot, Hunde auf Stiere zu hetzen, hatten die Bulldoggen schon so viele
Freunde gewonnen, daß man sie als Familienhunde annahm. Jetzt rühmt
man ihre Kinderliebe . . .

Während die Bulldoggen also – gleich den meisten andern Hunderassen – zu einem bestimmten Zweck gezüchtet wurden, sind einige andere Hunderassen so zufällig entstanden, wie jene Rosensorten, die der Gärtner «Sports» nennt und durch Ableger vermehrt.

Der Dobermann-Pinscher etwa, der jetzt als besonders edle Rasse gilt, entstammt der zufälligen Kreuzung eines Bastardhundes mit der schlechten kurzhaarigen Schäferhündin des Schinders Dobermann von Apolda. Diese Zufallsrasse ist erst um 1890 entstanden, war aber schon 1933 auf der Weltausstellung in Chicago am zahlreichsten vertreten. Das Zuchtbuch des amerikanischen Kennel-Klubs rühmt dem Dobermann «Herz und Geist eines Gentleman» nach. Mit Recht. Weshalb sollte nicht ein Gentleman von einem Viralata gezeugt, oder von einer schlechten Hündin im Hause eines Abdeckers geboren werden? Auf den *Hund* kommt es an – wie auf den *Menschen!* Nicht auf Rasse, Stammbaum oder Paß.

Und Drolly ist ein guter Hund. Nun wünsche ich sie mir nicht anders, als sie ist. Sie paßt sich mir an, und ich passe mich ihr an, wie sich das zwischen Freunden ziemt.

*

Mit wachsender Einfühlung hatten wir seit ihrer Heilung ein weiteres Mensch-Hund-Jahr miteinander verlebt. Das ist nur *ein* Jahr für den Herrn, doch siebenmal mehr für den Hund, dessen Leben um so viel kürzer ist. Manche bekümmerte Stunde hat mir Drolly erleichtert, wenn sie mich aus großen Augen ansah und im angestrengten Bemühen um Verständnis ihre kleine schwarze Stirn in Falten zog. Und manche helle Stunde hat sie mir noch erheitert, indem sie ihre Freude, mich gut gelaunt zu sehen, mit närrischen Sprüngen und vergnügtem Blaffen äußerte.

Auch einen rechten Dienst hat sie mir erwiesen, als Manoel ihretwegen eine bessere Stelle ausschlug. In der Zeit der Dienstbotennot war das wichtig. Ohne mich käme er schon aus – zumal mit dem höheren Lohn, der ihm angeboten wurde, und dem Gehilfen, der ihm anderswo die grobe Arbeit abgenommen hätte –; ohne «Dorli» aber: nein! Wenn sie nach seinem Besen hascht, macht er auch grobe Arbeit – oder tut wenigstens so.

In jenem Jahr war Drolly wieder läufig geworden und trieb sich mit einer ganzen Meute von Liebhabern herum.

Als ich sie über die heiße Jahreszeit ins Gebirge mitnehmen wollte, war sie, vor dem Werfen, so reizbar, daß der Autobus-Chauffeur sich weigerte «eine solche Bestie» zu befördern.

Transport ist das Hauptproblem Brasiliens. Ein Autobus-Platz nach meinem kleinen Berghaus muß Tage vorher reserviert werden. Dennoch ließ ich ihn verfallen und versuchte das Bähnchen, das eine englische Kompagnie ins Gebirge betreibt. Selbst nach dem Fahrplan brauchte es länger als der Autobus – und wann hätte es den je eingehalten!

Der Stationsbeamte machte so viel Umstände, als bewürbe sich Drolly um ein Einwanderungsvisum nach den Vereinigten Staaten. Er verlangte einen Gesundheitsschein vom Tierarzt, einen Impfschein von der Präfektur und eine «genaue Beschreibung» (die auch nicht einfach war, denn Drolly hat die Merkmale vieler Rassen). Schließlich einigten wir uns auf die Kennzeichnung «Cachorra de luxo – Luxushündin», und nach den Spesen, die dieser Transport verursacht hätte, wäre das auch zugetroffen. Zuletzt forderte die Bahnverwaltung noch, daß Drolly einen «zuverlässigen» Maulkorb trüge, aber den wollte ich ihr – trächtig, wie sie war – nicht zumuten. Er hätte sie *zu* sehr geplagt.

Blieb nur eines: ein Taxi ins Gebirge. Es kostete fast so viel wie eine Woche im Hotel, und mir hätte ich es nicht geleistet; für Drolly aber – sollte ich sie bei Manoel lassen? Nein! Ich nahm das Taxi, und Drolly lehnte sich so vornehm aus dem Fenster, daß ihre lächerlichen Ohren flogen.

Im Gebirge bekam sie Junge: neun. Sie hatte sich übernommen. Ich konnte ihr nur drei lassen, denn sie hatte nur wenig Milch.

Als der Knecht die andern fortgebracht hatte, suchte sie eine Weile, wie eine zerstreute Person, die das Gefühl nicht los wird, mehr Geld eingesteckt zu haben, als sie bei sich findet, sich aber schließlich tröstet: «Es wird schon stimmen». Schon am nächsten Tag tat Drolly, als habe sie vollauf genug an diesen drei großartigen Kindern, die sie nicht genug bewundern und belecken konnte. Sie zog sie auf Kaffeesäcken groß; die hat man in Brasilien immer zur Hand.

*

Einer dieser restlichen drei Welpen, ein Rüde, gerät ihr nach, glatthaarig, schwarz, langbeinig und kleinköpfig, mit breiter Brust und kräftigen, geströmten Pfoten, eine Kreuzung aus viel Viralata und wenig Bulldogge. Das zweite Junge, ein Weibchen, sollte – fahl, derbknochig und rammsnäsig wie es ist – eine Art Bullterrier und damit Vater Sumbi ähnlich werden. Um aber das Aussehen des dritten und kräftigsten, eines Rüden, glaubhaft zu machen, wird eine Abschweifung erforderlich.

Vor etwa hundert Jahren hat mein Landsmann *Mendel*, ein Augustinermönch, die Muße, die Kloster und Naturgeschichts-Unterricht ihm ließen, zu Kreuzungsversuchen an Pflanzen benützt und ist dabei zu Ergebnissen gekommen, die zwar zu seinen Lebzeiten unbeachtet geblieben, später aber zur Grundlage der Vererbungswissenschaft geworden sind. Diese «Mendelschen Regeln» besagen in der Hauptsache, daß bestimmte Rassenmerkmale durch Bastardierung *nicht* verloren gehen. Was so zu verstehen ist:

Kreuzt man eine rot blühende Wunderblume mit einer weiß blühenden, so erhält man rosa blühende Mischlinge; züchtet man diese untereinander fort, bringen sie in der (nun zweiten) Generation der Bastardierung neben rosa blühenden auch rein rote und rein weiße Nachkommen hervor (im Verhältnis von je zwei rosa zu einer roten und einer weißen). Alle roten und weißen Blüten lassen sich rein rot oder weiß weiterzüchten, sind also, obzwar zweimal bastardiert, «reinrassig». Die rosa Blüten aber spalten sich auch in den folgenden Generationen in rosa Mestizen und rote und weiße «Reinrassige» auf.

Ähnlich verhalten sich Kreuzungen schwarzer und weißer Mäuse und – hier gelangen wir an unsern Ausgangspunkt zurück – verschiedenrassiger Hunde. Ein Bastard kann demnach nur *einem* seiner Großeltern oder Ur- oder gar Ururgroßeltern nachgeraten und dessen Erbe «rein» fortpflanzen. Das gehört zum erweisbaren Teil der Vererbungslehre, und hierin hat sie das Recht, sich Wissenschaft zu nennen. Was sich später halbgebildete Arglist aus ihr zu Mord und Verstümmelung zurechtgebogen hat, ist ein trauriges Kapitel, das uns hier nicht zu beschäftigen braucht. Unser Interesse gilt der bei weitem saubereren Hündin Drolly, die, von einer Räude genesen, nun drei Junge ihres zweiten Wurfes säugte. Denn der Umweg über Pater Mendel sollte nur zur Begründung der seltsamen Tatsache dienen, daß ein Söhnchen der Bulldogg-Viralata-Mestizin Drolly und des Bullterrier-Mestizen Sumbi als *reinrassige Bulldogge* zur Welt gekommen ist.

Seit er seine kleinen dummen Augen am fünfzehnten Tage der Umwelt geöffnet hat, wird er zu einem immer getreueren Abbild seiner Großmutter Nora, der reinrassigen Bulldogg-Hündin, die ins Zuchtbuch des Kennel-Klubs eingetragen ist.

Jawohl, die räudige Mestizin, deren Vertilgung schon beschlossen war, die blaue «Bahianerin», die mich zum Gespött gemacht hatte, die Rassenlose und Verachtete hat einem reinrassigen Bulldogg-Rüden das Leben gegeben!

Da rede noch einer von Rasse! Da maße sich noch einer an, aus «rassischen» Gründen zu werten – oder gar zu töten!

So wie aus Andersens «häßlichem kleinen Entlein» ein Schwan, so wie aus dem Sohn eines Säufers ein Bernhard Shaw wurde: so aus dem Sohn einer räudigen Mestizen-Hündin eine reinrassige englische Bulldogge.

*

Was ist der Mensch, daß er verwerfen dürfte, was seine Freude werden kann und, mag sein, seine Ehre?

Nochmals: das sind große Worte um eine räudige Hündin.

Sie seien einem einsamen alten Mann vergeben, dessen Freundin diese Hündin geworden ist. Eine so gute Freundin in der Tat, daß er ihr zugetan blieb, solange sie lebte.

Indes er den echten Bulldogg-Rüden, den sie geworfen, einem Liebhaber reiner Rasse geschenkt hat.

BOXER UND BAUER

Im Gebirge Mittelbrasiliens (1954)

Als Drolly gestorben war, bat ich alle meine Bekannten, nach Ersatz Umschau zu halten.

Denn wenn einem sein Hund stirbt, ist nur zweierlei möglich: ihm jahrelang nachzutrauern («nie wieder will ich einen Hund haben! Einen wie *den* bekomme ich doch nicht wieder...») oder sogleich, aber wirklich *sogleich*, einen andern an seine Stelle zu setzen.

Es ist, wie wenn man Witwer wird. Manche trauern ihrer Frau den Rest des Lebens nach; manche nehmen eine andere, ohne auch nur das Trauerjahr abzuwarten – und vielleicht gerade die haben ihre Frau inniger geliebt: so geliebt, in der Tat, daß ihnen ein lediges Leben unvorstellbar wurde.

*

Am vielbesungenen Strand von Copacabana, in einem betont würfelförmigen Haus, dessen Eigentümer seinen Ruf als moderner Architekt vor allem der erbarmungslosen Kahlheit seiner Fassaden verdankt, kam die Deutsche Boxerhündin «Waltraute» mit sechs Jungen nieder: ordentlich sortiert, drei Männchen und drei Weibchen.

Das geschah, als ich in kummervoller Hast Ersatz für meine gute Hündin Drolly suchte. Reinrassigen Ersatz, denn diesmal wollte ich einen Hund mit Stammbaum.

Doch, sind solche Hunde schon in Europa teuer, so steigt ihr Preis im fernen Südamerika in mir unzugängliche Regionen. Ein Hund, nach dem man sich in London kaum umsähe, verschlingt in Brasilien die Aussteuer einer Tochter. –

Die Welpen, die mir der Kennel-Klub von Rio de Janeiro anzubieten hatte, kosteten ihr Gewicht in Gold.

Verloren zwischen ihren abenteuerlichen Preisen irrte ich umher, bis eine freundliche Bekannte den Wurf der Boxerhündin im würfeligen Strandhaus erspähte. Deren Herr habe sich, berichtete sie mir, zwar oft vorgenommen, den Wurf ins Stammbuch des Kennel-Klubs eintragen zu lassen, sei aber nie imstande gewesen, an der nächsten Bar vorbeizukommen, so daß Waltrautes Junge zwar rassereine, doch stammbaumlose «Okkasionen» waren.

Ich besuchte das Würfelhaus und war erstaunt, es von Muschelsofas, Deckchen und Nippes erfüllt zu sehen, von all dem Krimskrams also, den ein moderner Architekt zu verabscheuen vorgibt. Doch Heim ist Heim, und zu Hause macht auch er es sich behaglich.

Nach einem Eiercognac, der mehr nach Eiern als nach Cognac schmeckte (und es mir verständlich machte, weshalb der Architekt sein Alkoholbedürfnis außer Haus befriedigte), führte mich die Hausfrau auf die Veranda, auf der Waltraute mit ihren sechs Sprößlingen lag und so eingebildet dreinsah, als habe sie drei Apollos nebst drei Dianas zur Welt gebracht statt der sechs Hündchen, die mit milchfeuchten Schnäuzchen um sie herum lagen. Aus dümmlich wasserblauen Äuglein blinzelten sie, und ihre Fellchen sahen aus, als habe ihre Mutter vorsorglich das Wachstum bedacht und sie deshalb um zwei Nummern zu groß gekauft.

«Was kostet ein Männchen?» fragte ich. – Denn zur Abwechslung wollte ich diesmal einen Hund und keine Hündin. Das hat mir später manchmal leid getan. Doch so ist der Mensch: er liebt die Abwechslung, und wenn er zwei Ansichtskarten kauft, sucht er selbst dann zwei verschiedene aus, wenn die eine für New York und die andere für Wien bestimmt ist.

«Drei Conto de Reis», erwiderte prompt die Dame des Hauses.

Da zu jener Zeit drei Conto de Reis immerhin hundert Dollar waren, schwieg ich mit herabgezogenen Mundwinkeln.

«Ist Ihnen das zu viel?» fragte die Dame des Hauses, die unter einem perlengestickten Haussegen «Klein aber mein» saß. – «Echte Boxer!» erinnerte sie.

«Mit Stammbaum?» fragte ich.

«Die Mutter hat einen und der Vater hat einen», versicherte sie.

«Bei einem unehelichen Kind», gab ich ihr zu bedenken, «mögen Mutter und Vater ehelich geboren sein – nur ihr Kind ist es eben nicht...»

«Zwei Conto fünfhundert?» stieg sie die erste Sprosse herab.

Ich zuckte die Achseln.

«Der Tierarzt war bei der Geburt; Sie wissen, was der kostet...» flehte sie.

Ich hörte nicht auf, bedauernd mit den Achseln zu zucken.

«Wenn Sie ein *Weibchen* wollen...»

Ich schwieg.

«Weniger als zweieinhalb Conto *kann* ich für ein Männchen nicht nehmen!» begehrte sie auf.

Ich griff zum Hut.

«Es sei denn das kleine einfarbige....» versuchte sie einzulenken, denn zwei Eiercognacs hatte sie immerhin schon in mich investiert.

«Für mich kommt nur *der* in Betracht», sagte ich und griff das ansehnlichste Männchen heraus – schwarzbraun geströmt auf hirschrotem Grund, mit einer kohlrabenschwarzen Maske, einen Boxerwelpen, wie er sein soll, aber nur selten ist.

«Das ist unser Bester!» ächzte sie.

«Darum,» sagte ich.

«Die Schwänze haben wir auch schon stutzen lassen», wandte sie weinerlich ein. «Was das allein kostet!»

«Und die Ohren?»

«Die Ohren schneidet man nicht mehr – in England wenigstens nicht», schränkte sie ein, da sie mich auf Mutter Waltrautes geschnittene Ohren blicken sah.

«Außerdem hat das drei Monate Zeit, bis die Muskeln entwickelt sind.»

«Und was kostet es dann?»

Sie schwieg betreten. Daß kunstgerechtes Ohrenstutzen in Rio zwanzig Dollar kostet, wußte sie so gut wie ich.

«Adieu, Dona Berta, adieu Waltraute», verabschiedete ich mich, «ich bin kein Millionär.»

*

Nächsten Tags rief sie an.

Was denn!

Wie oft schon hatte ich in solchen Fällen nächsten Tags angerufen.

«Die Hunde machen *zu* viel Arbeit!» jammerte sie, «und so viel Schmutz! Heute ist mir Waltraute mit den kotigen Pfoten über den Bochara gelaufen...»

Ich schnalzte bedauernd mit der Zunge.

«Wieviel wollen Sie geben?»

«*Ein* Conto de Reis.»

«Anderthalb!», flehte sie.

Wir einigten uns auf eineinviertel, wenn sie den Ohrenschneider in ihrem Auto zweimal zu mir brächte – einmal zum Schneiden und einmal zum Herausziehen der Nähte. Sie hat es nur einmal getan, denn törichterweise zahlte ich im voraus.

So kam ich zu «Nick».

*

Zu Beginn war er wie andere junge Hunde auch.

Ein paar Nächte ließ er mich nicht schlafen, weil er nach seiner Mutter winselte; ein paar Nächte ließ ich ihn nicht schlafen, weil ich ihm die Ohren stutzen ließ, und er mit einer Art Gretchenfrisur herumlaufen mußte, bis die Nähte und Klammern herausgezogen waren. Damals verkroch er sich unter mein Bett und fiepte ununterbrochen, was eine gerechte Strafe für meine väterliche Eitelkeit war, ihm Stehohren aufzuzwingen, während Mutter Natur Hängezipfel vorgesehen hatte.

Er jammerte sehr und machte mehr Pfützen als je. Auch größer waren sie, denn

schon in früher Jugend erwies Nick den Saft- und Kraftüberschuß eines Deutschen Boxers.

Wie es jungen Hunden zukommt, fraß er alles, was ihm in den Weg kam.

Das war ihm nicht zu verargen, denn wie sonst hätte er fürs spätere Leben lernen können, daß Tausendfüßler brennen, oder daß Zement die Verdauung beeinträchtigt?

Widerfahrenes Leid vergißt er nicht. Seit er sich einmal an einer jener großen Kröten, von denen das tropische Südamerika wimmelt, die Lefzen verätzt hat, betritt er unter keinen Umständen mehr die Waschküche, in der ihm das Malheur zugestoßen ist. Solange ich seinen Schlafkorb nicht aus der Waschküche übersiedelte, legte er sich soldatenhaft hart aufs Steinpflaster der Veranda. Dabei hatte *er* der Kröte das Gift ausgedrückt, indem er sie biß. Aber rechte einer mit Nick!

Jedes Lebewesen ist ein sehr kompliziertes Resultat aus verschiedenartigen Trieben und Erfahrungen.

In Nicks Charakter vereinigt sich wehleidige Übelnehmerei für Schmerzen, die ihm andere zufügen, mit stoischer Gleichgültigkeit gegen das Leid, das er andern verursacht, willige Unterordnung unter seinen Herrn mit obstinater Angriffigkeit gegen fremde Hunde. Gegen die wendet er die Kampftechnik an, die seiner Rasse den Namen «Boxer» eingetragen hat: er greift mit den Vorderbeinen an und beißt erst zu, wenn er seinem Gegner die Beine unterm Leib weggeschlagen hat.

Schon, als er kaum halbjährig war, ist er so mit einem um vieles größeren Hund fertig geworden, der ob seiner Bissigkeit in der ganzen Nachbarschaft verrufen war. Den runden Kopf geduckt, um die Kehle nicht bloßzulegen, ließ Nick den Schäferhund zuschnappen und schlug ihm im gleichen Augenblick die Vorderläufe zur Seite. Es sah wirklich aus, als boxe er, so schräg, das Kinn an die Brust, hielt er den Kopf, so geschwind schnellten seine Beine vor: da lag auch schon der große Hund hilflos auf dem Rücken, so bissig und erfahren er war.

Angst vor seinesgleichen kennt Nick nicht – nein, die kennt er nicht.

Doch die Haupttugend, die mir Nick lieb und wert macht, ist nicht sein Mut. Sie ist, ganz im Gegenteil, sein Liebebedürfnis, das an einem so großen und starken Wesen rührend wirkt.

Es gilt, versteht sich, zunächst einmal mir, seinem Meister.

Hernach kommt seine eigenartige Vorliebe für Kinder. Ein Kind – gleich welchen Alters und Geschlechts – kann mit Nick machen, was es will, ohne daß er aufhörte zu wedeln. Er kann kein Kind sehen, ohne es zu küssen – will sagen, ihm das Gesicht abzulecken.

Eben das bringt mich immer wieder in Verlegenheit.

Solange Nick selber klein und kindlich war, schien seine Neigung noch unbedenklich. Seit er aber siebzig Pfund wiegt, läßt mich jeder Kinderschrei zusammenfahren.

Hat Nick schon wieder ein Kind angesprungen, um ihm das Gesicht abzulecken?

Mit Pfeife und Peitsche laufe ich zur Gartentür hinaus und sehe schon von weitem eine Mutter todesmutig mit Nick kämpfen.

Unvorstellbar, daß Nick ein Kind bisse; lieber bisse er sich selbst das letzte Endchen Schwanz ab, das ihm vom Stutzen verblieben ist. Nur küssen will er es. Doch kaum je erkennt eine Mutter seine liebebeflissene Absicht. Ganz rund vor lauter Liebe macht sich Nick, wenn er so heranspringt: das Herz einer Turteltaube im Leibe eines Jaguars.

Die Mutter aber sieht nur diesen Leib: den kraftstrotzenden Körper mit der keuchenden breiten Brust, den Rundkopf einer räuberischen Bestie. Aufschreiend wirft sie sich mit Handtasche und Sonnenschirm zwischen Nick und ihr Kind.

Es genügt eben nicht, daß man guten Willens ist: man muß auch danach aussehen.

Wehklagend blickte Nick mich an, wenn ich ihn hernach bestrafen mußte. –

163

Doch was blieb mir übrig... Hat mich doch seine Kinderliebe schon das
Heim – ja, fast das Leben gekostet!

*

Als Nick halbjährig und damit auch halb erwachsen war, nahm ich ihn ins
Bergstädtchen Nova-Friburgo mit, wo ich einen Waldhang mit einem kleinen
Landhaus besaß. Im Schatten meiner Bäume pflegte ich dort von Weihnachten
bis Karneval die heißesten Monate des südamerikanischen Jahres friedlich zu
verbringen.

Nick machte Sensation. Ein so teuflisch dickköpfiger Hund war dort noch nie gesehen worden. Sprang er mir auf der Straße voraus, liefen Menschen wie Tiere vor ihm davon.

«Onça pintada! – Bunter Jaguar!» schrie es auf.

Des Spieles froh, rannte Nick hinterdrein.

Man hätte ihn selbst «Schwarzer Jaguar» nennen können, der für noch blutgieriger gilt als der gescheckte: es wäre ihm egal gewesen – nur austoben wollte

er sich. Schneller lief er als irgendein anderes Wesen in Nova-Friburgo, ob Mensch oder Hund, ob Ziege oder Huhn.

Besondere Schererei machte es mir, daß auch die Maultiere vor ihm ausrissen. Sie mochten noch so schwer mit den Bananen und Holzkohlen der Gehöfte oder, auf dem Rückweg, mit Melasse und Mehl vom Städtchen bepackt sein: wild stoben sie auseinander, wenn Nick herantollte. – Sonst wandern diese Tragtiere gemächlichen Schritts hinter ihrer «Madrinha», der «Patin», her, die das stärkste und besonnenste Tier des Trupps ist und zum Zeichen ihrer Würde ein klingelndes Schellengehänge um den Nacken trägt.

Läutet aber solch würdige «Madrinha» ihre Schellen prestissimo, indem sie vor Nick in den Graben springt und dabei ihre Last Bananen abwirft: dann wird ihr sonst so phlegmatisches Gefolge von Panik ergriffen und prescht nach allen Seiten auseinander, einen wahren Hagel von Karotten, Ananas und dem hierzulande beliebten Gemüse um sich streuend, das sich «Xu-Xu» schreibt, Schu-Schu spricht, wie unreife Birnen aussieht und kaum besser schmeckt.

Das waren teuere Attacken! Sie kosteten mich jedesmal an die zehn Dollar, ohne mir mehr einzubringen, als ein paar zertrampelte Bananenbüschel und einen Haufen Xu-Xu, das ich nicht essen mag.

Die Mulatten, die solche Trupps führen, rechneten nämlich gar nicht billig mit mir ab. Einer, den sein Reittier abwarf – ein Tier, aus dem ich nicht klug wurde, ob es eben noch ein Pferd oder bereits ein Maultier war –, brachte mir sogar die Polizei auf den Hals, und mit der hat man nicht gern zu tun.

Nick hörte mit hängender Zunge und sichtlich befriedigt zu, wie ich mit dem Polizeikommissar palaverte. So schön gerannt war er seit langem nicht, und so viele Wesen auf einmal waren noch nie vor ihm davongelaufen. Es war ein Rekord von einem guten Dutzend Maultieren nebst Madrinha, einem erwachsenen Mulatten, drei Negerbübchen und einigen der Bastardhunde, die zu jedem Trupp gehören, um die Nachzügler in die Flechsen zu beißen.

Daß ich Nick hernach strafte, verstand er nicht. War es nicht der charmanteste Auslauf seines Lebens gewesen? Selbst jene Pirsch konnte sich nicht damit messen, auf der es ihm gelungen war, den Zwerghahn, auf den mein Nachbar stolz ist, knapp vor der Zaunlücke abzufangen. Sonst wußte sich der freche kleine Hahn eben noch durch dieses Loch zu zwängen, nachdem er Nick durch herausforderndes Krähen zur Attacke gereizt hatte. Jenes eine Mal aber hatte der Zwerghahn seinen Rückzug nicht exakt gezeitet. Das kostete ihn alle Schwanzfedern und mich die Freundschaft meines Nachbarn. – Wer den Wert guter Nachbarschaft auf einsamen Grundstücken kennt, wird die Strafe billigen, die ich Nick damals verabreichte.

Sie nützte nicht das mindeste. Hunde haben ihre Flegeljahre wie wir.

Erste Regel der Hundeerziehung ist es, nie im Zorn zu strafen. Da ich sie einhalte, schmerzen meine Schläge Nick mehr seelisch als körperlich.

Wehleidig ist er nicht – oder doch nur auf Art der Neger, die Schmerzen erkennbarer Ursache mit Gleichmut ertragen.

«Mich juckt mein Rücken», kam einmal ein Schilluk zu mir, als ich am Weißen Nil Safari wanderte. Dem riesigen Schwarzen stak ein Pfeil der gehässigen Form im Rücken, die nicht nur zwei Widerhaken an der Spitze hat, sondern der Länge nach mit ihnen bestachelt ist. Doch er hatte ihn abgetastet und wußte Bescheid. Bekommt aber ein Neger Bauchweh, so glaubt er sich so verzaubert wie Nick von der Kröte, wälzt sich heulend und kommt vor Angst fast um.

Schmerzen, deren Ursache Nick versteht, erträgt er mit stoischem Gleichmut.

Als er einmal im Rausch der Lebenslust, in den junge Hunde bisweilen verfallen, rundum stürmte, knallte er mit dem Dickkopf so hart gegen einen Baum, daß ich befürchtete, er habe sich den Schädel zerschmettert. Doch vom Fleck weg, auf den ihn der Anprall zurückgeworfen hatte, setzte er seinen freudejappenden tollen Kreislauf fort.

Auch Prügel nimmt Nick geduldig hin. Nur daß *ich* sie ihm verabreiche, beschämt ihn. Wozu ergänzt sei, daß er von einem andern keinen Schlag dulden würde, ohne stracks zuzubeißen. Vom Herrn jedoch ist die Strafe selbst dann «Schicksal», wenn er sie als so ungerecht empfindet wie die wegen des versprengten Maultiertrupps.

Aus tief ergebenen Augen blickte er mich damals so enttäuscht an, als habe er statt der Bambusgerte das Ritterkreuz mit Brillanten erwartet. Dennoch: «Der

Führer hat immer recht» stand so in seiner Miene geschrieben wie seinerzeit an den Häuserwänden Italiens.

Wie gesagt: Hunde und Menschen – oder gar Völker! – in ihren Flegeljahren erziehen zu wollen, ist verlorene Liebesmüh.

So unempfindlich sich Nick gegen erklärbare Schmerzen erweist, so ängstlich fiepend verzagt er gegenüber dem ihm Unerklärlichen – und darum Übernatürlichen. Jammernd schaudert er vor dem Dämonischen zurück.

Fühlt Nick innere Beschwerden, so lehnt er gesenkten Hauptes das Fressen ab – und sei es ein gebratener Entenkopf, der für ihn dasselbe bedeutet wie für mich die dazugehörige Ente. Stöhnend schleicht er in den Garten, um dort, sanft wie ein Lämmlein, zarte Grashalme abzuweiden. Nicht wie ein Boxer wirkt er dann, der vor niemandem auf Gottes weiter Welt Angst hat, sondern wie ein Neger, der seinen Medizinmann anfleht, ihn vom «bösen Geist» des Bauchgrimmens zu befreien.

Daß Nick mich ein gutes Heim gekostet hat und fast das Leben gekostet hätte, lag nicht etwa daran, daß er letzten Endes doch das Vertrauen in seinen Führer verlor – das ist bei einem Deutschen Boxer unerschöpflich – sondern es kam so:

Im Garten eines Bauernhauses sah Nick ein Bübchen spielen, das seine Kinderliebe weckte. Mit einem Stoß seiner breiten Brust drückte er den Bambuszaun ein, sprang am Kind hoch und leckte ihm das Gesicht ab.

Das Kind schrie in panischem Schrecken, das Gesicht lief ihm purpurrot an, und ich fürchtete, der Atem werde ihm wegbleiben. Bevor ich Nick noch zurückzerren konnte, stürmte auch schon der Bauer heran und sah, was seinem naiven Blick nicht anders erscheinen konnte als eine Bestie, die sich mit triefenden Lefzen auf sein Söhnchen gestürzt hatte. Mit den Fäusten drang er auf Nick ein, den ich indessen eben beim Halsband hatte packen können.

Hier nun geschah etwas, was Europäern ungewöhnlich erscheinen mag. Ein europäischer Vater hätte, da er sein Kind gerettet und die angreifende Bestie als unterwürfig wedelnden Hund entlarvt sah, entweder mir als dem Retter seines Kindes gedankt oder mich, als Eigentümer des Hundes, beschimpft. Dieser brasilianische Bauer aber tat etwas anderes.

168

Mit eiskalter Höflichkeit sprach er mich an: «Wenn das noch *ein*mal geschieht, Senhor, erschieße ich Ihren Hund, Senhor, und erschieße Sie selbst, Senhor.»

Das war mit allem schuldigen Respekt geäußert; aber gerade die selbstbeherrschte Höflichkeit, mit der er mich dreimal «Senhor» genannt hatte, erwies, daß es keine leere Drohung, sondern eine Feststellung war, die ich buchstäblich zu nehmen hatte.

Mein Versuch, Nicks Attacke mit seiner Kinderliebe zu entschuldigen, erreichte nur noch den Rücken des Bauern, der, sein zuckendes Kind in den Armen, ins Haus zurückkehrte.

Da sein Grundstück nahe dem meinen lag, und ich wußte, daß Nick, starrköpfig, wie Deutsche Boxer nun einmal sind, nicht davon abzubringen sein werde, das Büblein bei nächster Gelegenheit wieder zu küssen, blieb mir nichts übrig, als sogleich zu packen und abzureisen. Denn ich war sicher, daß der Bauer sein Wort halten werde. Das gehackte Blei aber, mit dem die Leute jener Gegend ihre Muskete gegen Opposums, Vagabunden und anderes Raubzeug laden, mochte ich nicht riskieren.

Deshalb habe ich meinen Besitz in Nova-Friburgo zum Verkauf gestellt und ein Haus in einem andern Städtchen des Orgelgebietes gemietet – an die hundertundfünfzig Kilometer weit von dem Bauernhaus, in dem immer noch eine geladene Muskete auf Nick und mich wartet.

*

Freud und Leid mit Nick — oder, genauer, die seinen mit dem Verfasser — sind im Buch «*Von Hund zu Hund*» nachzulesen, das ein Jahr vor diesem in unserem Verlage erschienen ist und Nicks weitere Abenteuer schildert.   Albert Müller Verlag

ERNSTHAFTES ÜBER DEN HUND

Je weniger man von etwas versteht, um so bündiger urteilt man darüber. Schulaufsätze über Goethe sind von erfrischender Klarheit.

Je eingehender man sich hingegen mit etwas befaßt – und sei es ein Hund –, umso hilfloser steht man seinen Verwurzelungen und Verzweigungen gegenüber und ahnt noch in den Zellen ein Planetensystem.

Beneidenswerte Ignoranz erklärt sich etwa die Persönlichkeit eines Hundes einfach so, daß der Hund gar keine Persönlichkeit habe, da diese dem höhergearteten Menschen vorbehalten sei; als Tier verfüge der Hund lediglich über Instinkt.

Oberflächliche Beobachter – aber Beobachter immerhin – billigen dem Hund wenigstens eine kindliche Persönlichkeit zu. Demnach erweisen sie ihrem Hund die anmaßende Überlegenheit, mit der unverständige Erzieher Kinder behandeln (verständige Erzieher nämlich behandeln Kinder als kleine Erwachsene). Sie streben dahin, daß ihr Hund sich ihnen gänzlich unterwerfe.

Da aber der Einfluß des Menschen auf den Hund zwar einen wichtigen, aber doch nur *einen* Bestandteil der Hundepersönlichkeit ausmacht, enthundet er – allzu streng ausgeübt – den Hund, indem er sein Erbgut verschüttet. Ein Hund, dem es abgewöhnt oder – was leider häufiger ist – ausgeprügelt wird, mit anderen Hunden zu spielen und zu raufen, Knochen zu vergraben, Hündinnen nachzulaufen, Unrat zu beschnüffeln und an Ecksteinen zu verweilen, mag ein bequemer Hund sein, nur ein rechter *Hund* ist er nicht mehr.

Denn eine andere wichtige Wurzel der Hundepersönlichkeit, ihre Pfahlwurzel sogar, die zu den Müttern hinabsteigt, ist die Abstammung von wölfischen Räubern und schakaligen Aasfressern.

Wölfe und Schakale umlauerten die Höhle des Urmenschen, fraßen die Reste seiner Mahlzeit und, wenn sie ihn wehrlos antrafen, vermutlich auch ihn.

Wann jenes feindliche Gegeneinander zum freundlichen Miteinander wurde,
wissen wir nicht; jedenfalls geschah es früher, als die Historie zurücksehen und
selbst die Prähistorie zurückblinzeln kann.

Vielleicht duldete der Urmensch das räubernde Gesindel als Unrat- und Abfall-
vertilger, wie Südamerikaner heute noch Geier um sich dulden; vielleicht
bediente er sich ihrer wie der Haifisch seiner Pilotenfischchen zum Auf-
spüren der Beute; vielleicht lernte er ihr wachsames Heulen schätzen, das ihn

vor reißenderen Feinden warnte; vielleicht war es Zufall, daß ein einsamer Urmensch den verlassenen Wurf einer Wölfin großzog. Wahrscheinlich traf all dies zusammen. Nicht nur einmal, sondern mehrmals und vielerorten.

Als die Spanier in Südamerika eindrangen, das dem Abendland bis dahin so entrückt gewesen war, als läge es auf einem andern Planeten, fanden sie dort schon Haushunde vor. Ja, bevor noch Azteken und Inkas die Reiche errichtet hatten, die von den Spaniern zerstört wurden, verehrten Indianerstämme den Hund als Gott. Uralte peruanische Gräber bergen Hundemumien.

Auch die Entdecker Australiens fanden den Eingeborenen Hunde zugesellt, und als ein englischer Pionier Australneger zu einem Vorstoß in den Busch anwarb, waren jene Primitiven zwar bereit, ihre Weiber und Kinder, nicht aber, ihre Hunde zurückzulassen. Zu solcher Innigkeit hatten schon Menschen steinzeitlicher Primitivität ihre Beziehung zum Hund gesteigert.

In Pfahlbauten der europäischen Steinzeit fand man Hundeskelette, die mehr an unsern Spitz als an Wolf oder Schakal erinnern. Schon damals also gab es nicht nur zahme, sondern sogar gezüchtete Hunde.

Die Zucht unterschiedlicher Hunderassen ist wohl darauf zurückzuführen, daß verschiedene Menschenstämme und Menschensippen je nach ihrer Tätigkeit verschiedene Hundegefährten zähmten: die Bärenjäger besonders starke, die Gazellenjäger besonders flinke Wölfe, die Pfahlbauer wachsame Schakale. Derart liegt der Ursprung mancher Hunderassen in dunkler Vorzeit. Entgegen der geltenden Meinung halte ich es nicht einmal für sicher, daß nur Wolf und Schakal zu ihnen beigesteuert haben. Es gibt Hunde die allzu füchsisch aussehen, als daß sich der Fuchs aus ihrer Ahnenreihe ausschließen ließe. Die letzte Brehm-Ausgabe erklärt zwar streng:

«Bisher sind bei keinem einzigen Hund Fuchs-Charaktere gefunden worden, und wenngleich es manche Haushunde gibt, die farblich und ihrer Bauart nach den Füchsen auffallend ähnlich sehen, so ist doch ein- für allemal jede Annahme einer Fuchskreuzung abzuweisen.»

Dem steht meine Erfahrung entgegen. Als junger Mann hatte ich eine Zeitschrift für Naturfreunde zu leiten, der ein ostpreußischer Leser das Photo eines

Fuchs-Hunde-Bastards einsandte. Ich veröffentlichte es als Rarität, erhielt aber daraufhin so viele Bilder und Beschreibungen von Fuchs-Hund-Kreuzungen, daß ich sie nicht alle abdrucken konnte.

Nicht nur füchsisches Aussehen, auch füchsische Eigenart mancher Hunderasse bestätigt die alte Tiersage, derzufolge Reinecke Frau Isegrim verführt hat. Womit sonst wäre beispielsweise der schliefende Instinkt des Dackels zu erklären? Der Annahme, daß Dackel erst seit dem 16. Jahrhundert gezüchtet werden, widersprechen die Dackelskelette in Inkagräbern. Daß die krummen Dackelbeine rhachitisch oder «erbliche fötale Mißbildungen» seien, reicht bestenfalls zur Erklärung ihrer Form hin, nicht aber zur Begründung ihrer Scharrlust. Dabei verbindet der Dackel sein füchsisches Interesse für Höhlen, Maulwurfsgänge und Mäuselöcher mit einer nicht minder füchsischen Schläue.

Auch Spaniels erweisen des öftern füchsische Eigenart. Ich besaß einen, dem es nicht abzugewöhnen war, das Röhricht schleichend zu durchkriechen, statt es zu durchstöbern; sooft er sich unbeobachtet glaubte, verfiel er wieder in füchsisches Schleichen.

Zwar bestritten, aber doch wohl möglich, ist schließlich die Abstammung unseres Hundes vom Wildhund. Noch vor nicht langer Zeit wiesen Zoologen den australischen Dingos einen wichtigen Platz in der Ahnenreihe des Haushunds zu. Indem sie die Dingos später als verwilderte Hunde erkannten, strichen sie mit diesen kurzerhand auch die indischen, die südamerikanischen und alle andern Wildhunde aus der haushündischen Stammtafel.

Mir fehlen die Belege, das Für und Wider der Wildhund-Theorie abzuwägen. Die Ausweisung des Fuchses aus der hündischen Ahnenreihe stimmt mich jedoch auch gegen andere Einschränkungen skeptisch. Denn was ist von einer Theorie zu halten, die den Fuchs nicht als Hundeahnen gelten läßt, während heute noch südamerikanische Indianer den Schakalfuchs Maikong zum hundeähnlichen Haustier zähmen?

Welche Ahnen in der Persönlichkeit des Hundes weiterleben, können wir bloß vermuten. Mit Sicherheit wissen wir nur, daß es *wilde* Ahnen waren. Deshalb steckt in jedem Hund ein Rest von Wildheit.

Diese wichtige Wurzel läßt sich nicht tilgen, ohne daß mit ihr auch andere wesentliche Triebe verkümmern. Wer sie wegzüchtet, erhält spielzeugartige Hundekarikaturen. Wer sie aber gewaltsam ausprügelt, erweist sich als gleichermaßen brutal und dumm.

In England, das in der Hundezucht die längste Erfahrung besitzt, gilt es für so «shocking», einen Hund zu mißhandeln wie einen Menschen. Rohlinge, die ihren Hund aus Leibeskräften verprügeln, indem sie seinen Kopf zwischen ihre Knie klemmen und dann auf ihn losdreschen, kommen in England vor den Strafrichter. Im kontinentalen Europa sind solche Fälle leider nicht selten zu beobachten. Das Betrübendste ist, daß solch ein Flegel sich als Erzieher fühlt. Das Gegenteil trifft zu: ein so geprügelter Hund wird ein «verprügelter» Hund, ein im buchstäblichen Sinne «verschlagener» Hund, feige und wahrer Freundschaft fernerhin unfähig.

Ob ein Hund überhaupt geschlagen werden darf – geschlagen, wohlgemerkt, nicht geprügelt! – ist so schwer zu entscheiden wie die Frage, ob ein Kind geschlagen werden darf. Die meisten Hundefreunde halten leichte Schläge bei der Hundedressur für ebenso zulässig wie bei der Kindererziehung.

Allerdings gibt es ganze große Völker – die Malaien etwa, die Chinesen und Japaner –, die bei der Kindererziehung grundsätzlich ohne Schläge auskommen. So gibt es auch Hundebesitzer, die niemals schlagen und dennoch (oder vielleicht gerade deshalb) gute Hunde aufziehen.

Der richtige Grundsatz, daß der Hund Verbotenes mit Unlustgefühlen verbinden soll, um es künftighin zu meiden, kann auch mit andern Mitteln als der Peitsche verwirklicht werden. So sind manche Junghunde nicht einmal durch Schläge davon abzubringen, Geflügel zu reißen; bindet man aber solch einem Hund das Huhn, das er gewürgt hat, ans Halsband und läßt ihn sich einen Tag lang damit abschleppen, wird er kaum je noch eins umbringen.

Meine Sealyham-Hündin Bamba betätigte die Scharrsucht ihrer Rasse vornehmlich im Rosenbeet. Immer wieder schleppte sie einen Rosenbusch herbei, den sie ausgegraben hatte. «Seht doch», besagte ihr erhobener Kopf und ihr Anerkennung heischender Blick, «trotzdem er so groß und dazu noch stachelig ist, habe ich ihn *doch* herausbekommen!» Wer wollte eine Junghündin schlagen, die verkörperte Zärtlichkeit ist? Wer aber weiß, daß ein so mißhandelter Rosenstock selbst dann nur schwer wieder anwächst, wenn seine Wurzeln zurückgeschnitten und in Lehm getaucht werden: der wird auch verstehen, daß ich von Mal zu Mal ärgerlicher wurde und die Kleine schalt. Ihr entsetzter Ausdruck erwies, daß sie mich nicht verstand. Vielleicht war der Rosenbusch noch nicht groß genug, mochte sie denken, denn sie schleppte immer größere herbei, bis sie beim besonders starken «Herzog von Kalabrien» gelandet war. Bei dem verblieb sie. Als sie zum dritten Male mit dem armen Herzog ankam, band ich ihn ihr ans Halsband. Seither schlug sie einen Bogen ums Rosenbeet.

Auch andere Mittel als Schläge wirken also auf den Hund, und manchmal wirken sie nachdrücklicher.

Ein junger Bully, der schon stubenrein gewesen war, wurde aus Gründen, die nur er kannte, wieder unsauber. Morgen für Morgen verunreinigte er das Wohnzimmer, in dem er schlief. Weder Schelten noch Anbinden half. Ich wollte ihn schon fortgeben, als mir ein Erfahrener riet, in die vom Bully bevorzugten Winkel Paprika zu streuen. Hunde, argumentierte er, beschnuppern den Platz, bevor sie ihre Losung absetzen. Ich streute Paprika; nachts hörte ich den Bully heftig niesen. Von da an blieb er stubenrein. Schläge hätten ihn nicht kuriert.

Bedenklicher als auf junge wirken Schläge auf erwachsene Hunde. Sie können kaum je etwas bessern, aber viel verderben. Im allgemeinen läßt sich sagen, daß ein ausgewachsener Hund seine Persönlichkeit nicht mehr ändert. Seine Eigenart prägt sich vielmehr mit zunehmendem Alter immer markanter aus. Manche Großhundrassen, wie die Wolfshunde, die Bernhardiner und die Doggen, sind dafür berüchtigt, daß sie die ihnen in der Jugend fortdressierte Bissigkeit im Alter nicht mehr unterdrücken können. Da helfen keine Schläge mehr.

Wer keinen bissigen Hund zu seinem Schutz braucht, tut besser daran, ihn töten zu lassen als ihn zu schlagen. Das freilich ist leichter gesagt als getan.

In einem Urner Dorf fiel mich geifernden Mauls ein alter Rottweiler an. Ich stellte seinen Herrn fest, er war ein pensionierter Lehrer. «‚Nero‘ ist sonst im Garten», entschuldigte er sich, «aber manchmal macht er sich doch frei.» – «Aber er ist eine Gefahr!» schalt ich, «und überalt ist er auch; lassen Sie ihn doch abtun, sonst bekommen Sie Scherereien.» – «Scherereien!» seufzte er bitter. «‚Nero‘ hat mich schon mit dem ganzen Dorf verfeindet; aber bedenken Sie doch: ich habe den Hund zwölf Jahre!» – Ich bedachte es und ging.

Wünschenswertes Kompromiß der Mensch-Hund-Freundschaft wäre es, daß der Mensch seine dem Hund unangenehmen und der Hund seine den Menschen störenden Eigenarten unterdrückte – der Mensch also seine Nervosität, seinen Jähzorn und seinen Egoismus, der Hund seine Unsauberkeit und Bissigkeit, seine Gier und seinen zigeunerhaften Trieb zum Vagabundieren. – Leider ist das eine so unmöglich wie das andere. Wenn echte Mensch-Hund-Freundschaften dessenungeachtet so häufig sind, spricht das mehr für die Anpassungsfähigkeit des Hundes als für die des Menschen.

Wie einseitig auf Kosten des Hundes solche Kompromisse geschlossen werden, sehe ich eben an meinem Hund, der seit Stunden so still unterm Schreibtisch liegt, daß ich ihn vergessen hatte. Er läuft gern im Garten herum, aber er paßt sich mir an. Wenn *ich* jedoch Feierabend mache und mit ihm spazieren gehe – worauf er sich den ganzen Tag freut –, passe ich mich nicht etwa ihm an, sondern ziehe ihn an dem Eckstein vorbei, der ihm wichtig, ins Café, das ihm widerwärtig ist. Dort zwinge ich ihn, während ich Schach spiele, zu einsamen Stunden auf dem harten Terrazzoboden, während draußen großartige Hündinnen vorbeilaufen.

Der Hund gibt dem Herrn mehr als der Herr dem Hunde. Schon das zu erkennen ist wichtig, weil die Grundlage wahrer Freundschaft die Dankbarkeit ist.

*

Außer durch seine Abstammung von Wildtieren und seine Beziehung zum Menschen wird der Hund auch durch seine Umgebung erheblich beeinflußt. Klima und Landschaft wirken auf ihn tiefer ein als auf uns. In der Stadt entwickelt sich ein Hund anders als im Dorf und wiederum anders im Walde. Der polare Schlittenhund und der mongolische Hirtenhund erweisen unterschiedliche Eigenschaften, obzwar beide Spitze sind. Der historische Bernhardiner vom alpinen St. Bernhard-Hospiz war nicht nur dem struppigen Fell, sondern auch dem Charakter nach vom heutigen Park- und Wach-Bernhardiner der Tallandschaften durchaus verschieden.

Schließlich läßt sich auch vom Hund sagen, daß er ist, was er ißt. Ein Spitz, der als Eskimohund Fische und Robbentran frißt, entwickelt schon deshalb eine andere Persönlichkeit als ein Spitz, der als Hirtenhund mit Grütze oder ein anderer, der als Stadthund mit Fleisch und Reis gefüttert wird.

Nun sind schon vier Bestandteile der Hundepersönlichkeit aufgezeigt: ursprüngliche Abstammung, Beziehung zum Menschen, Milieu und Nahrung. Aber nicht einmal die wichtigsten sind damit erledigt. Da fehlen noch der Einfluß der gezüchteten Rasse und die individuelle Eigenart des Hundes.

Denn auch bei gleicher Rasse, gleichem Milieu, gleicher Nahrung und gleichem Herrn ist jede Hundepersönlichkeit von den anderen verschieden.

Ich weiß von zwei irischen Settern aus demselben Wurf, die einander äußerlich zum Verwechseln glichen, aber so unterschiedlichen Charakters waren, daß der eine als unerziehbar abgetan werden mußte, während der andere den schlüssigsten Beweis, den ich kenne, für die *überlegende* Persönlichkeit des Hundes erbrachte. Dieses Beispiel scheint mir überzeugender als der kluge Dackel, von dem ich las, er könne im Klopfalphabet mitteilen, «Schiller ist ein großer Dichter» und «Der Knochen ist unter der Treppe versteckt». Der literarische Dackel nämlich war außerstande, aus seinem Wissen Folgerungen zu ziehen, etwa, Schiller zu lesen oder auch nur seinen Knochen wiederzufinden. Jener irische Setter aber zog aus seinem Wissen die Nutzanwendung.

Er war ein so manierlicher Hund, daß ihn sein Herr auch in der Stube duldete. Verboten war ihm nur, sich aufs Sofa zu legen. Das unterließ er denn auch, solange sein Herr im Hause war. Ging aber der Herr aus, fand er, sooft er wieder heimkam, das Sofa warm. Um den Hund zu überführen, kehrte der Herr einmal auf der Treppe um und schlich zurück – da lag in der Tat der Setter auf dem Sofa. Er wurde gebührend gescholten. Als aber der Herr am nächsten

Tage das Haus verließ und von der Straße zurückblickte: siehe, da stand der Setter auf dem Fensterbrett und sah ihm nach, die Stirn in nachdenkliche Falten gezogen. Bevor er sich aufs Sofa legte, überzeugte er sich erst, ob sein Herr *wirklich* fortgegangen war. – Von da ab war das Sofa warm, wenn der Herr heimkam, ohne daß es ihm je wieder gelungen wäre, seinen Hund zu überführen.

Wer kann einem Wesen, das so logisch handelt, die Persönlichkeit absprechen? Mag sein, ein Schuljunge . . .

Der aufmerksame Beobachter hingegen erkennt eine Hundepersönlichkeit als so einmalig und eigenartig an wie die eines Menschen.

Es ergeht ihm dabei wie einem Afrikareisenden, der anfangs außerstande ist, einen Neger vom andern zu unterscheiden und erst später die verschiedenen Negerstämme zu erkennen lernt. Noch später erst schärft sich sein Blick für die Verschiedenheit einzelner Neger gleichen Stammes. Bleibt er so lange, daß er mit Negern von Mann zu Mann sprechen kann, erfährt er wohl von ihnen, daß auch sie erst nach geraumer Zeit lernen, einen weißen Menschen vom andern zu unterscheiden, weil, wie sie zunächst meinen, einer so aussähe wie der andere und alle zusammen nichts wert seien.

Ein bündiges Urteil, das die einleitende These bestätigt: je weniger man von etwas versteht, um so bündiger urteilt man darüber.

*

Ein filigraner Zwergrattler ist ein Hund, ein massiger Bernhardiner ist auch ein Hund: zoologisch dieselbe Art, dieselbe Familie, dieselbe Gattung.
Kein anderes Tier variiert so außerordentlich.

Eine Bulldogge mit einem Kopf wie ein Kürbis ist ein Hund, und ein Windspiel mit einem Kopf wie ein Keil ist auch ein Hund: dieselbe Art, dieselbe Familie, dieselbe Gattung.
Kein anderes Tier fügt sich so willig der Umzüchtung.

Es gibt Hunde, deren Schädel von dem eines Wolfs nicht zu unterscheiden sind, und es gibt Hunde, deren Schädel man in der hohlen Hand verstecken kann.

Das ist so erstaunlich, als ob Spatz und Storch dieselbe Gattung wären und einander begatten könnten. Das nämlich kann die Bulldogge mit dem Windspiel.

Erstaunlich!

Doch erstaunlicher noch als die Vielfältigkeit der Größe und Form des Hundes und als seine Bereitwilligkeit, sich in immer bizarrere Formen umzüchten zu lassen, ist seine *innere* Anpassungsfähigkeit an den Menschen. Es ist, als hätte die Vorsehung den Hund als Träger der Liebe des Tieres zum Menschen und damit erst die Voraussetzung erschaffen, daß auch der Mensch das Tier lieben kann; es ist, als gewähre sie dem Hund so vielfältige Form, damit jeder Mensch die ihm genehme wählen könne.

Wie sehr dankt gerade der Einsame der Vorsehung für dieses Geschenk, das seine Einsamkeit belebt, ohne sie zu verletzen! Im Hund findet er die bedingungslose Liebe eines belebten Wesens, das seine Eigenart respektiert, seine Spröde vergöttert. Fände er sie in einem Menschen: es wäre die ideale Liebe. Aber er findet sie nur im Hunde.

Deshalb wählt der Einsame seinen Hundegefährten zumeist passend: der Starke den Starken, der Bewegliche den Beweglichen, der Phlegmatische den Phlegmatischen.

Gesellige Menschen hingegen, denen der Hund nur Beiläufiges ist, greifen häufig daneben. Deshalb mag es nützlich sein, daß der Einsame sie belehrt.

In meiner Nachbarschaft lebten einmal ein alter Flickschuster und seine Frau, die sich einen Neufundländer hielten. Es war ein pompöses Tier, das schwerer war und deshalb auch mehr aß als die armen Leutchen. Sie lebten nicht *mit* dem Hunde sondern *für* ihn, und so rührend ihr Stolz war, wenn sie Sonntags mit ihrem Neufundländer spazieren gingen, so bedauerlich war es auch, sie selbst schäbig und unterernährt zu sehen, während neben ihnen der Hund feist und glänzenden Fells einherwogte. Ein Pinscher wäre ihnen ein besserer Freund gewesen, denn Freundschaft darf nicht zu Lasten *eines* Teiles gehen.

Sie darf es so wenig zu Lasten des Menschen wie zu Lasten des Hundes, was der häufigere Fall von Mißwahlen ist.

Quicke Foxterrier werden in enge Stadtwohnungen eingeschlossen und so oft zur Ruhe gewiesen, bis ihr Temperament gebrochen ist. Im Park hingegen, in dem ein Foxterrier sich ausleben könnte, sehnt sich ein Pekingese nach Stubenwärme.

Kein vernünftiger Mensch wird sich im Hochsommer schwarz kleiden; er weiß, daß dunkle Farben heiß machen. Trotzdem werden kaum irgendwo mehr schwarze Hunde gehalten als im sonnigen Süden. Einen Holländer, der sich auf seine Tierliebe etwas zugute tat, sah ich im tropischen Java von einem kohlschwarzen dickpelzigen Chow-Chow begleitet, der sich, mit hängender Zunge hechelnd, kaum weiterschleppen konnte.

In Stadtwohnungen phlegmatische Hunderassen zu halten, in warmen Gegenden hellfarbige und kurzhaarige, scheint eine so selbstverständliche Anstands-

pflicht des Menschen gegen den Hund, daß ich mich fast schäme, sie hinzu-
schreiben. Ich tue es nur, weil ich sie nicht einmal in Spezialwerken für Hundezucht und Hundehaltung vermerkt finde. Kapitel über Kapitel behandeln da
das Lager, die Nahrung, die Erziehung und die Krankheiten des Hundes, aber
keines befaßt sich mit seiner Auswahl nach Klima sowie Temperament und
Eigenart des Herrn.

Viele Menschen – zumal großstädtische – widmen der Auswahl ihrer Schreibmaschine mehr Aufmerksamkeit als der ihres Hundes. Bei der entscheiden sie
sich einfach für eine «moderne» Rasse – demnach für eine, die zurzeit ge-
schäftstüchtig propagiert wird; der Reihe nach: drahthaarige Foxterrier,

Deutsche Schäferhunde, Cocker Spaniels, Deutsche Boxer und Pudel. Nächstens werden es vielleicht Zwergspitze sein oder Riesenschnauzer.

Derart entarten Schäferhunde wie Foxterrier in unzuträglicher Umgebung. In einem Nachbardorf hält sich eine schöngeistige Witwe einen Wolfshund, der unter ihren zarten Händen zur wölfischen Bestie zurückverwildert. Er wird ein Kind zerbeißen, bis seine Herrin erkennt, daß ein Mops besser zu ihr paßt.

Zu Bismarck paßte die Dogge, zu Schopenhauer der Pudel, zur alten Jungfer der Mops. Ein Bismarck mit Mops oder ein Schopenhauer mit Dogge wären so falsch gewählte Freundschaften gewesen, wie wir ihnen heutzutage auf Schritt und Tritt begegnen.

Die in Großstädten und mondänen Kurorten üblichen Konkurrenzen: «Dame und Hund», «Kind und Hund» oder «Auto und Hund» züchten solche Mißverständnisse, indem sie etwa ein langschinkiges Girl mit einem langbeinigen Barsoi prämiieren, trotzdem ein Hetzhund keineswegs zu einem jungen Mädchen paßt. In einem Wettbewerb «Auto und Hund» sah ich eine Dänische Dogge prämiiert (einen Hund also, der seiner Größe und Schärfe wegen auf einen Gutshof und nicht in eine Limousine gehört), weil sie dazu abgerichtet war, ihre Vorderpfoten aufs Lenkrad zu legen.

Dressur führt den Naturfremden bei der Wahl seines Hundes des öftern irre. Er ist der Meinung, ein Hund sei zu allem dressierbar. Die Hundebücher sind denn auch voll Dressurregeln, und die meisten Hunde willig, sich ihnen, selbst entgegen ihrer Anlage, zu fügen. So dressiert man ihnen denn übers Notwendige der Folgsamkeit und Stubenreinheit hinaus den Charakter aus dem Leibe. Aus der Dogge wird eine Auto-Mascotte und aus dem russischen Steppenhund ein Mädchenzärtling. Solche Karikaturen erhalten dann noch Preise!

Ein Jäger, der einen Vorstehhund zur Fuchsjagd oder ein Schäfer, der einen Stöberer zum Hüten dressierte, würde von seinesgleichen ausgelacht werden. Aber die sind eben naturnähere Menschen.

Man sollte an einem Hund nicht allzuviel herumdressieren, sonst bricht man seine Eigenart und erzieht sich statt eines Freundes einen Sklaven. Wer einen willenlosen Hund wünscht, soll sich einen auf vier Rädern kaufen, mit einer

Schnur zum Ziehen. Wer aber freie Treue höher schätzt als gedrillte Unterwürfigkeit, wird seinem Hund das Eigenleben nicht übers Notwendige hinaus verkümmern.

*

Nur ein Hund kann einen Hund richtig beobachten.

Uns Menschen gibt er Rätsel auf, die wir häufig fehllösen. Grübeln verstockt den Irrtum, Zufall berichtigt ihn gelegentlich.

Das zeigten mir einmal Rio und Bamba.

Wenn ich aß, saßen beide neben mir; sowie ich aber den letzten Bissen verzehrt hatte, trollten sie sich davon.

Natürlich fragte ich mich: wieso wissen sie, wann ich aufhöre zu essen? Sie können doch nicht auf meinen Teller sehen.

Probeweise unterbrach ich mein Essen. Die Hunde blieben aufmerksam sitzen. Seltsam. Sie wußten also, daß ich weiteressen wollte. Vielleicht rochen sie den Rest auf meinem Teller, mutmaßte ich. Aber ich ließ manchmal etwas übrig, und sie gingen dennoch, wenn ich nicht weiteressen wollte. Sie *fühlten es* also – schloß ich.

Ein Zufall erwies mir, daß ich irrig beobachtet hatte. Im Essensfall nämlich fühlten sie nicht, sondern sie *sahen*.

Als ich einmal mitten im Essen meine Serviette zusammenfaltete, verließen sie ihre Posten. Jetzt erkannte ich, daß ihnen einfach das Zusammenlegen der Serviette das Signal gab: Essenschluß!

Ein Versuch bestätigte das. Wann immer ich die Serviette faltete, hielten sie meine Mahlzeit für beendet. Juristen würden sagen, daß sie aus einer «konkludenten Handlung» auf meine Absicht schlossen.

Solch logische Folgerung der Hunde ist zwar nicht minder merkwürdig als ihr Einfühlungsvermögen in meine Stimmung, das sie in andern Fällen erwiesen, aber doch grundsätzlich davon verschieden.

Hätte ich mich mit der Beobachtung begnügt: die Hunde gehen vom Tisch, wenn ich zu essen aufhöre – ich hätte richtig beobachtet. Zum Fehler verleitete das Nachdenken über das Warum.

Goethe, auch in der Tierbeobachtung ein Quell der Weisheit, vermerkte einmal zu Eckermann, der Forscher dürfe nicht fragen, *warum* der Ochs Hörner trage, sondern *wie* er sie trage. Hielte sich die Tierbeobachtung an diese Regel: ungleich reichere Ergebnisse belohnten ihren Fleiß. Statt dessen schlägt sie nur allzu oft den entgegengesetzten Weg ein und schließt aus dem «Warum» aufs «Wie». Gewisse Tierpsychologen gleichen hierin den weltfremden Scholastikern, die in den Schriften des Aristoteles nachforschten, ob Öl in einer kalten Winternacht gefriere.

Der Augenschein ist wohl das einzige einigermaßen verläßliche Mittel der Tierbeobachtung. Auch er allerdings schließt Fehler nicht aus, weil der Mensch anders sieht als das Tier. Immerhin ist das Menschenauge dem des Tieres näher verwandt als das Menschenhirn dem Tierhirn. Demnach ist das Auge auch das geeignetere Organ, Beobachtungen anzustellen und ihre Ergebnisse auf den für Mensch und Tier gemeinsamen Nenner zu bringen.

Das Bemühen der Wissenschaft, ihr Auge für die Tierbeobachtung mit Apparaturen zu schärfen, halte ich für verfänglich. Immer wieder erweist sich nämlich die Überlegenheit des naiven Auges über das mißtrauisch bewehrte.

Vor Jahren ersannen drei Zoologen der Universität Königsberg eine komplizierte Apparatur von Pappstreifen und Türchen, um festzustellen, ob und wie weit Tauben zählen können. Ihre langwierigen, durch häufige Kontrollen erhärteten Versuche führten zum Ergebnis, daß Tauben bis drei zählen können. Als dieses Resultat weitläufig veröffentlicht worden war, meldete sich ein schlichter Jäger aus Graubünden zu Wort, der den Beweis, daß Vögel bis drei zählen können, erheblich einfacher und schlüssiger erbrachte. Um Raben abzuschießen, hatte er sich mit zwei Kameraden in einer Hütte versteckt. Die Raben sahen die drei Männer kommen, flogen fort und kehrten nicht eher in die Nähe der Hütte zurück, bis sich die Jäger – und zwar alle *drei!* – wieder entfernt hatten.

Die wissenschaftliche Tierbeobachtung könnte einen erheblichen Teil ihrer Apparaturen sparen, wenn sie sich von Jägern, Bauern und andern Naturnahen beraten ließe. Dadurch würde sie so gefördert werden, wie es die Germanistik wurde, als sich die Brüder Grimm von Dorfmuhmen Märchen erzählen ließen.

Tatsächlich arbeiteten die klassischen Tierbeobachter ohne Apparaturen, weil sie eben Laien waren. Brehm z. B. war ein Ausreißer ohne wissenschaftliche Vorbildung, v. Kapherr Forstmann, Löns Journalist.

Hunde im besonderen – *lebende* Hunde versteht sich – kennt ein Züchter, Jäger, a, jeder, der aus Neigung einen Hund hält, besser als ein Zoologe, Biologe oder Tierpsychologe, der nicht zugleich Hundehalter ist.

Das will, es sei wiederholt, nicht besagen, daß der aufmerksame Laie von Fehlern verschont bleibt. Unterläuft doch selbst dem vorbildlichen Beobachter Brehm bisweilen eine Verwechslung des «Wie» mit dem «Warum». Von der Bettwanze z. B. schreibt er, sie habe einen flachen Körper, «um sich durch alle Ritzen und Spalten hindurchzwängen zu können». Demnach bedingte das Warum des Hindurchzwängens das Wie der flachen Körperbildung. In Wahrheit ermöglicht, gerade umgekehrt, der flache Körper das Hindurchzwängen.

Das ist keine Wortklauberei, sondern die Feststellung eines Grundfehlers. Wer Ursache mit Wirkung verwechselt, gerät in die naturfremde Spekulation, derzufolge der Hirsch sein Geweih so «als Waffe» trägt wie der Soldat sein Bajonett. Da eine Katze Krallen hat und Mäuse fängt, liegt der Schluß verführerisch nahe, sie habe Krallen, *um* Mäuse zu fangen. Wer eine Katze hält, weiß, daß sie lieber Fische als Mäuse frißt. Vermutlich wären ihr Schwimmhäute erwünschter als Krallen. Hätte sie nicht einmal Krallen, würde sie vielleicht Insekten fressen. Dann würden Zweckgrübler feststellen, ihre Sprunggelenke dienten dazu, *um* Libellen zu fangen.

Deshalb vermerkte ich, daß unmittelbarer Augenschein eine verläßlichere Tierbeobachtung ermöglicht als Grübeln. Der Augenschein stellt das «Wie» fest; ihm untergeordnet – weil verfänglicheren Irrtümern ausgesetzt – ist das «Warum».

Ein mir befreundeter Hundebesitzer stellte fest, daß sein Pinscher den Schritt der Hausfrau – und *nur* diesen – von allen andern Schritten unfehlbar unterschied. Die Hausfrau litt ihn nicht im Wohnzimmer, während die andern hierin nachsichtig waren. Befand sich nun mein Freund mit dem Pinscher im Wohnzimmer, so beobachtete er, daß der Hund nahende Schritte im allgemeinen unbeachtet ließ, während er sogleich flüchtete, wenn sich die strenge Hausfrau näherte. Mein Freund hätte sich mit der allgemeinen (und von der Wissenschaft bestätigten) Beobachtung zufriedengeben können, daß ein Hund Schritte feiner unterscheidet als wir. Er gab sich aber *nicht* damit zufrieden und fand deshalb die Lösung. Die Hausfrau trug einen Schlüsselbund, der vernehmlich klirrte. Auf dieses bezeichnende Geräusch hatte der Pinscher seine Aufmerksamkeit so eingestellt wie meine Hunde die ihre auf die Serviette. Wie hier so dort bestätigten Versuche die Beobachtung. Nahm mein Freund die Schlüsselkette an sich, flüchtete der Pinscher auch vor seinen Schritten. Er verhielt sich dabei ähnlich wie eine schlafende Mutter. Die mag so fest schlafen, daß nicht einmal grober Lärm sie weckt: rührt sich aber ihr Säugling in der Wiege, erwacht sie. Ihr Gehör ist auf ein bestimmtes Signal eingestellt. Der Volksmund nennt das «Ammenschlaf», und der Volksglaube hält die stillende Mutter für besonders naturnahe.

In der Tat beobachten wir im «Ammenschlaf» einen der Schnittpunkte menschlichen und tierischen Verhaltens.

Ein anderer ist die sprichwörtliche «Macht der Gewohnheit». Er liegt den mitgeteilten Beobachtungen nahe; denn im Falle der Serviette wie des Schlüsselbunds schließt der Hund *gewohnheitsmäßig* aus einem Sinneseindruck auf dessen Ursache und Wirkung.

Wir selbst sind Gewohnheiten stärker untertan, als wir gern zugeben. Arbeits-, Essens- und Schlafenszeit kann uns in einem Maße zur Gewohnheit werden, daß ihre Änderung Unbehagen, ja Krankheit verursacht. «Der Mensch gewöhnt sich an alles» ist eine berechtigte Redensart. Unmerklich schrauben sich uns Gewohnheiten ein. Wie schwer es ist, sie wieder auszureißen, merke ich an meinen wiederholten vergeblichen Versuchen, mir mein unmäßiges Rauchen abzugewöhnen.

Ein Hund ist Gewohnheiten fast noch stärker unterworfen. Einem erwachsenen Hund sind sie so fest eingeschraubt, daß sie ihm kaum wieder ausgetrieben werden können. An die Mauern und Möbel seiner Umgebung gewöhnt er sich so exakt, daß er im Finstern zwischen ihnen herumlaufen kann, ohne anzustoßen. Bis auf die Minute gewöhnt er sich an seine Essenszeit. Unwirsch mahnten mich fast alle meine Hunde, wenn ich sie versäumte. An seine Kost gewöhnt sich ein Hund derart, daß er selbst bessere verschmäht, wenn sie ihm ungewohnt ist.

Einer Bekannten lief ein großer magerer Schäferhund zu. Sie setzte ihm Fleisch vor – er rührte es nicht an; sie bot ihm einen Knochen – er lehnte ihn ab. Nur Wasser nahm er. Während sie sich noch um das Tier bemühte, das erschöpft schien und dennoch nicht fressen wollte, kam sein Herr, ein Hirte. «Da bist du ja, ‚Lammel‘!» frohlockte er. «Seit gestern suche ich dich!» Meine Bekannte zeigte dem Hirten des unberührte Fleisch. Der Mann lachte. Er glaube gern, daß ‚Lammel‘ kein Fleisch fresse; der sei nur Brot in Milch gewohnt. Das verschlang er denn auch, sowie es ihm gereicht wurde.

Man muß sich die Macht der Gewohnheit vergegenwärtigen, um die Liebe zu würdigen, die ein Hund seinem Herrn erweist. Denn sie – und *nur* sie – bricht die Gewohnheit.

*

Welch ein Wunder ist die Liebe des Hundes!
Vor dreitausend Jahren besang sie ergreifend *Homer*:

> «Aber ein Hund erhob auf dem Lager sein Haupt und die Ohren,
> *Argos*, welchen vordem der leidengeübte *Odysseus*
> Selber erzog; allein er schiffte zur heiligen Troja,
> Ehe er seiner genoß. Ihn führten die Jünglinge vormals
> Immer auf wilde Ziegen und flüchtige Hasen und Rehe:
> Aber jetzt, da sein Herr entfernt war, lag er verachtet
> Auf dem großen Haufen von Maultier- und Rindermiste,
> Welcher am Tore des Hofes gehäuft war, daß ihn Odysseus'
> Knechte von dannen führten, des Königs Acker zu düngen:
> Hier lag Argos der Hund, von Ungeziefer zerfressen.
> Dieser, da er nun endlich den nahen Odysseus erkannte,
> Wedelte zwar mit dem Schwanze und senkte die Ohren hernieder,
> Aber er war zu schwach, sich seinem Herrn zu nähern.
> Und Odysseus sah es und trocknete heimlich die Träne...
> ...Aber Argos umhüllte der schwarze Schatten des Todes,
> Da er im zwanzigsten Jahre Odysseus wiedergesehen.»

So viele Jahre lagen zwischen des geliebten Herrn schimmernder Abfahrt und seiner Rückkehr als bettelnder Greis! Die Liebe des Hundes hatte sie überdauert.

Darwin berichtet, als er von einer fünfjährigen Weltreise zurückkehrte, habe ihn sein Hund so begrüßt, als sei er vor einer halben Stunde von ihm geschieden. Gegen Fremde sei das Tier bissig und wild gewesen. Fünf Jahre – das ist ein halbes Hundeleben! Doch die Liebe des Hundes blieb ungeschwächt. Es gibt Beispiele, daß sie den Tod des Herrn noch überdauert. Eines ist «Die wahre Geschichte von Greyfriars Bobby», die Henry T. Hutton wahrheitsgetreu niedergeschrieben hat:

Zu Greyfriar in Schottland lebte ein Bauer namens Gray. Er besuchte regelmäßig den Wochenmarkt in Edinburgh, und sein Terrier Bobby begleitete ihn dabei. Das Mittagmahl aß Gray beim Gastwirt Traill. Dort bekam Bobby eine Semmel und manchmal auch einen Knochen. 1858 starb Gray und wurde auf dem Friedhof zu Greyfriar begraben. – Drei Tage nach dem Begräbnis kam Bobby völlig ausgehungert zum Gastwirt Traill. Der gab ihm eine Semmel. Bobby entlief, die Semmel im Maul. Am nächsten Tag wiederholte sich das und ebenso am übernächsten. Nun folgte der Wirt dem Hunde. Bobby lief geradenwegs auf den Friedhof von Greyfriar, legte sich aufs Grab seines Herrn und fraß die Semmel erst dort. Der Wirt brachte Bobby in dessen altes Heim. Doch immer wieder entfloh der Hund zum Grabe seines Herrn. Schließlich ließ man ihn gewähren. Mitleidige Menschen brachten ihm Essen und bauten ihm neben dem Grab eine Hütte. Der Bürgermeister von Edinburgh rechnete es sich zur Ehre an, die Hundesteuer für ihn zu zahlen. – *Neun Jahre* hielt Bobby seinem toten Herrn die Treue. Als er 1867 starb, begrub man ihn nahe seinem Herrn und errichtete ihm ein Granitdenkmal.

*

Vielleicht ist Bauer Gray in die ewige Seligkeit eingegangen; vielleicht auch nicht.

Wo immer er ist – Gott lasse seinen Hund mit ihm sein! - Amen.

RICHARD KATZ

der heute meistgelesene Reiseschriftsteller

ALLERHAND AUS FERNEM LAND
Ein neuer Bummel um die Welt

DREI GESICHTER LUZIFERS
Lärm – Maschine – Geschäft

LEID IN DER STADT

PER HILLS SCHWERSTER FALL
Ein ernsthafter Kriminalroman

WANDERNDE WELT
Drei Geschichten von Mensch und Tier

DIE WELTREISE IN DER JOHANNISNACHT
Ein Märchen für klein und groß

FRETZ & WASMUTH VERLAG AG ZÜRICH / STUTTGART

Die begeistert aufgenommenen Tierbücher von

RICHARD KATZ

«Reizvoller haben sich in Richard Katz Naturforscher und Philosoph, Dichter und Forscher selten vereinigt als in diesen Büchern. Er ist der liebenswürdig-weise und bei aller Ironie kreaturfreundliche Weltbetrachter geblieben, als der er seine Bücher für ein großes und begeistertes Publikum geschrieben hat.» Neue Zürcher Zeitung

EINSAMES LEBEN
Ein Buch von Hunden und Pflanzen
32. Tausend. 274 Seiten. Geheftet Fr. 7.80, DM 7.50; Leinen Fr. 10.35, DM 10.—

KLEINODE DER NATUR
Diamanten, Orchideen und Kolibris
8. Tausend. 240 Seiten. Geheftet Fr. 10.15, DM 9.80; Leinen Fr. 12.95, DM 12.50

NUR TIERE
Vier Geschichten
9. Tausend. 276 Seiten. Geheftet Fr. 9.35, DM 9.—; Leinen Fr. 13.25, DM 12.80

«Wenn man einem guten Freunde einen Autor empfiehlt, den man liebgewonnen hat, empfindet man nicht selten eine Art Neid darüber, da dem andern ein Genuß noch bevorsteht, den man selbst hinter sich hat. Ein solches Gefühl ist es, mit dem wir auch Richart Katz' Brasilienbücher unseren Lesern empfehlen.» Welt der Arbeit, Berlin

«Ob Katz noch so ausgiebig vor uns ausbreitet, was die Wissenschaft über ein Tier uns zu sagen hat, nie wird eine trockene Darstellung daraus, immer bleiben wir umgeben vom Leben in seiner ständig wechselnden Fülle... Menschenleben und Tierleben werden eins in diesen nicht nur aus dem Kopfe, sondern ebensosehr aus dem Herzen heraus geschriebenen Büchern.» National-Zeitung, Basel

EUGEN RENTSCH VERLAG ERLENBACH-ZÜRICH UND STUTTGART

DER PASSIONIERTE HUNDEFREUND LERNT GERNE NOCH KENNEN:

RICHARD KATZ: VON HUND ZU HUND
Mit 34 Federzeichnungen. Leinen Fr. 13.25 / DM 12.50

Ein bezauberndes Kleinod ist dieses reizvoll ausgestattete Hundebuch, ein herzerfreuendes Labsal für alle Hundefreunde, die längst darauf gewartet haben, von ihren vierbeinigen Kameraden und Hausgenossen einmal selbst zu hören, wie sie die Welt betrachten.

«... Humorvoll betrachtet Richard Katz sich und andere Leute aus der Hundeperspektive, und am Ende ist dem Leser eines ganz klar: daß unsere Vierbeiner nicht uns, sondern wir ihnen gehören – daß sie zwar unsere Fehler betrübt registrieren, sich aber dennoch aus Liebe zum Menschen zerreißen lassen, wenn es nottut.»   Berliner Morgenblatt

HEINZ VON DER ACHEN: JOCKEL
Ein Buch von Hunden, Jägern, Wilderern und Wäldern
Kart. Fr. 6.75 / DM 6.50, Leinen Fr. 9.35 / DM 9.—

«Jockel heißt der kleine Drahthaarterrier, dessen Kämpferleben als Kamerad eines einsamen Jägers das Buch erzählt... Jeder Jäger, jeder Natur- und Hundefreund wird ‚Jockel‘ mit Begeisterung lesen...»   Tierärztliche Umschau

FELIX SALTEN: RENNI DER RETTER
Das Leben eines Kriegshundes
Mit 14 Federzeichnungen. Leinen Fr. 11.40 / DM 11.—

«... Der Hund in Saltens Buch nimmt nach und nach eine Gestalt an, die man nicht mehr so leicht aus dem Gedächtnis bringt. Jetzt... mutet uns das Buch vom klugen und pflichtgetreuen Retter Renni an wie eine Gedenkschrift, die allen treuen Sanitätshunden gewidmet ist. Wer kein Hundefreund ist, muß es durch dieses Buch werden.»   St.-Galler Tagblatt

GLADYS TABER: WAS WÄRE DER MENSCH OHNE DEN HUND
Elf Hundegeschichten
Mit 13 Federzeichnungen. Leinen Fr. 13.25 / DM 12.80

«... In feinsinniger Weise, ergreifend und lebendig werden uns diese Menschen- und Hundeschicksale vor Augen geführt, und mehr als einmal wird man an eigene Erlebnisse mit seinem Hund erinnert, und man hält den Schlüssel für viel Unverstandenes in der Hand. Denn hier gilt Treue um Treue und Liebe um Liebe. Die Hundefreunde können viel davon erzählen. Dieses Buch spricht aber noch mehr und besser davon!»   Düsseldorfer Wochenspiegel

Im Herbst 1957 erscheint:

TIM UND MARGA RUPERTI: LEBEN MIT BENGO
Fibel für den Umgang mit jungen Hunden
Mit 84 Federzeichnungen von Tim und Text von Marga Ruperti
Glasierter Pappband Fr. 6.95 / DM 6.70

Illustrierten Prospekt «Bücher für Hundefreunde» senden wir Ihnen mit Freuden!

ALBERT MÜLLER VERLAG, AG., RÜSCHLIKON BEI ZÜRICH